열일하는

과금기사

열일하는 과금 기사 7

초판 1쇄 발행 2022년 4월 27일

지은이 | 박건
발행인 | 신현호
편집장 | 이호준
편집 | 송영규 최종건 정재웅 양동훈 곽원호 조정범 강준석 최성화
편집디자인 | 한방울
영업 | 김민원

펴낸곳 | ㈜ 디앤씨미디어
등록 | 2002년 4월 25일 제20-260호
주소 | 서울시 구로구 디지털로 26길 111 JnK디지털타워 503호
전화 | 02-333-2513(대표)
팩시밀리 | 02-333-2514
E-mail | papy_dnc@dncmedia.co.kr
블로그 | blog.naver.com/gnpdl7

ISBN 979-11-364-3240-7 04810
ISBN 979-11-364-2823-3 (SET)

박건 판타지 장편소설
Papyrus Fantasy Story
열일하는
PAPYRUS
파피루스

chapter1.

초월살해자

chapter1.
초월살해자

지구에는 [선별사]라는 직업이 존재한다. 비전의 술식을 계승받는 그들은 세계 각지에서 공무원으로 활약하며 시청, 동사무소 등으로 찾아오는 대상의 재능을 완벽에 가깝게 파악한다.

속성 : 무(無)

적합 이능 : 없음. 폐급 마나 적성

특성 : 초인적인 운동 신경, 초인적인 정신력, 불가해한 전투 예지, 불가해한 신체 제어

당시, 내가 받은 결과가 이것이었다. 타고난 속성조차 없는 영적 장애인.

여러모로 잔인한 결과지만 그 결과의 정확성은 두말할 필요가 없을 정도다. 나야 절망을 확인했을 뿐이지만 34 지구의 모든 인류는 선별사의 힘으로 자신의 적성을 확인한다.

그 후에 그 재능을 따라갈지는 자신의 선택이더라도, 적어도 영능 적성을 몰라서 헤매는 일은 없다는 것.

'하지만 아르데니아에는 선별사가 없지.'

그저 비전의 술식 하나만 있으면 되는 문제가 아니라 다수의 궁극 마법으로 이루어진 인프라가 깔려 있어야 했기에 아르데니아에서 그걸 구현하는 것은 불가능.

때문에 나는 다른 방식을 적용했다.

바로 삼재육합공(三才六合功)이다.

'지구에서는 잘 쓰이지 않는 기술이라 찾느라 고생했지.'

삼재육합공은 향후 어떤 방향으로든 성장할 수 있는 기본공이다. 심법 자체에 속성도 없고 특정한 철학이나 이념도 담겨 있지 않은, 문자 그대로 심법의 바탕을 이뤄주는 게 목표인 기공.

나는 인류제국의 무인 지망생들은 모두가 삼재육합공을 익히도록 조치했다.

삼재육합공은 아무리 느려도 100일, 빠르면 일주일 만에 대성의 경지에 이를 수 있다. 이는 앞으로 무공의 토대(土臺)를 마련하는 데 의의를 둔 수련법이지만, 동시에 다른 방식으로 활용하는 게 가능하다.

'대성에 걸리는 시간을 수련자의 재능에 대한 지표로 삼을 수 있지.'

만일 누군가가 삼재육합공의 대성에 3개월 이상이 걸린다면?

그는 잔말 말고 쾌진공이나 익혀야 한다.

그런 재능으로 신공 같은 걸 익혔다가는 죽을 때까지 일주천 한 번 못해 볼 것이기 때문이다.

'물론 불굴의 의지로 모자란 재능을 이겨 내는 것이 없는 일은 아니지.'

그러나 시스템은 대다수의 케이스를 대상으로 짜여야 하는 것.

실제로 현재 인류제국에 가장 널리 보급된 천룡검공(天龍劍功)의 경우, 적어도 50일 안쪽으로 삼재육합공을 대성해야 입문이 허락된다.

'반대의 케이스도 있고.'

사람의 재능은 천차만별이라 누군가는 3개월을 꽉 채워야 하는 과정이 누군가에게는 10일도 긴 속성 과정에 불과하다.

삼재육합공의 2개월과 10일은 단순한 6배의 시간 차이가 아니라 도달할 수 있는 한계선의 차이라는 걸 생각해 보면 소드 마스터가 될 재목은 이 입문공에서부터 두드러지는 성취를 얻기 마련이다.

"응? 알겠어? 두드러지는 성취를 얻기 마련이라고."

"네……."

"아니, 검기까지 만들어 낸 녀석이 삼재육합공을 운기조차 못하는 게 말이 되냐?"

에드워드가 검기를 발현한 것은, 분명 사실이었다.

그러나 아이러니하게도 녀석을 소드 마스터나 검술 완성자라고 지칭하기에는 많은 문제가 있다.

"또 틀렸어!"

"아오! 내가 왜 공부를 해야 해요! 마나만 움직이면 되는 거 아니에요?"

"마나만 움직이면 당연히 안 되지! 아니, 애초에 삼재육합공의 구결이라고 해 봐야 마흔 자밖에 안 되는데 그걸 왜 틀려?"

마나, 그리고 빛 속성에 대한 에드워드의 친화력은 녀석이 인간인지 아니면 추락한 천족인지 의심이 들 정도다. 제대로 된 무공서를 접하자 일주일 만에 검기를 만들어 내는 미친 재능이니 더 말해 무엇하겠는가?

그러나 문제가 있었다.

녀석의 지능.

"이거 완전 빡대가리 아냐?"

"말이 너무 심하잖아요!"

이 멍청한 놈은 입문공 마흔 자 구결도 못 외운다.

다 외웠나 보면 어느새 틀려서 엉뚱하게 운기조식을 하

는 수준.

"아니, 천(天) 자를 왜 목(目) 자랑 헷갈려? 생긴 것도 의미도 완전히 다르잖아?"

"아, 맞아. 하늘이었구나."

"……."

상황은 구십구광검세 또한 마찬가지다.

"검기…… 다시 좀 만들어 봐."

"아, 잠깐만요."

에드워드가 오른손에 검을 들고는 왼손에 구십구광검세가 적힌 무공서를 들었다.

그리고 약 5분 후.

후우웅!

녀석의 검에서 빛나는 검기가 발현된다.

"성공!"

"에라이!"

버럭 성질을 부리자 에드워드가 항의한다.

"아니, 왜 자꾸 화내요!"

"왜? 왜냐니! 누가 검 들고 싸우는데 한 손에 책을 드냐? 네가 무슨 마법사야?"

폐급 마나 적성 때문에 내공을 제대로 수련하지 못하면서도 정공, 사공, 신공, 심지어 마공 구결까지 줄줄 외우고 다녔던 나로서는 책을 컨닝하며 운기하는 꼴에 속이 뒤집힐 수밖에 없다.

아니, 뭔 오픈북이야? 오픈북 배틀이라도 할 참인가?

"후…… 그래. 머리가 나쁘면 몸으로 배워야지."

나는 지구로 가는 것도 미루고 에드워드를 가르쳤다.

물론 둘이나 되는 소드 마스터를 보유한 인류제국이지만, 지금 체계로 다음 소드 마스터가 나오기까지는 까마득한 시간이 필요하다는 사실을 알고 있기 때문이다.

스틸스톤은 정공 계열의 신공 역근세수경을 무려 20년 동안 수련한 결과가 지금 나타난 것이고, 헤이즈의 경우는 멸망의 시대에서 살아남은 미래의 기억과 경지를 끌어왔으니 새로 수련을 시작한 다른 기사들이 그들을 따라잡으려면 얼마큼의 시간이 필요할지 가늠조차 되지 않는다.

'아니, 사실 그런 상황이 아니어도 관리할 녀석이긴 하지.'

완성자급 능력자를 십만 넘게 보유한 지구에서도 일주일 만에 검기를 발현한 중딩을 발견한다면 즉시 특별 관리에 들어갈 것이다.

설사 그 대상이 빡대가리더라도 상황은 마찬가지.

"다음은 이 자세."

"네."

"……아니, 대답은 네 하고 잘하면서 뭐 하는 거야. 발뒤꿈치가 떠 있잖아."

"이렇게……."

"아니……."

그러나 반나절 정도 가르친 결과.

나는 새로운 사실을 알았다.

'이 자식, 심지어 몸치이기까지 하다.'

아이돌이 춤추는 모습을 눈으로 보았을 때, 누구는 그것을 한 번에 따라하지만 누구는 몇 번을 봐도 엉뚱한 자세만 취한다. 이는 단순히 암기력이 문제가 아니라 신체 운동 지능(bodily-kinesthetic intelligence)의 차이.

신체를 다루는 것에도 재능이 필요하다는 뜻으로, 이 재능이 모자라면 육체 활용의 끝판왕인 전투에 애로 사항이 꽃 피는 건 너무나 당연한 이야기다.

"그, 그렇게 엉망이에요? 제가 이래 봬도 어릴 땐 형들을 이기고 더 자라서는 어른도 때려잡고 다녔는데……."

"그건 오러의 힘으로 이긴 거지. 어른이 아이를 때리는데 무슨 기술이 필요하겠냐?"

몇 가지 테스트 결과 나는 에드워드가 가진 재능을 정리할 수 있었다.

[신화적인 마나 적성]

[불가사의한 빛의 속성력]

[빡대가리]

[몸치]

그렇게 상황을 정리한 나는 깨달았다.

'나랑 정반대로군.'

입문자 수준의 내공으로 조폭 대가리를 깨고 다닐 정도의 전투 적성을 지녔음에도 폐급 마나 적성 때문에 나아갈 길이 없던 나와 달리 녀석은 어마어마한 마나 적성을 가지고 있음에도 그것을 소화할 역량이 없다.

'말하자면…… 무의 극(極)을 이룬 생쥐와 막싸움밖에 못 하는 호랑이다.'

만일 예전에 이놈을 만났으면 열등감과 자괴감에 정신을 못 차렸을 것이다. 생쥐 따위가 무의 극을 이뤄 봐야 막싸움 호랑이에게 이길 방법이 없기 때문이다.

그러나 지금.

생쥐, 호랑이를 넘어 우주 괴수가 된 내게는 녀석은 가르치기에 충분한 여유와 자비가 있다.

"일단, 이 책은 압수야."

"주, 준 걸 다시 뺏는 게 어디 있어요!?"

"준 걸 뺏는 게 아니라 너한테 안 맞아. 이제 보니 속성 강화 구결은 없는 게 낫다."

에드워드가 타고난 속성력은 너무나 강해서 그냥 아무 심법이나 익혀도 빛 속성이 깃들 지경이다. 속성을 발현하기 힘든 보통 인간 대상의 구결은 녀석의 기운을 폭주시킬 뿐이다.

"그럼 뭘 배우는데요?"

"태극권."

그중에서도 이십사식태극권(二十四式太極拳)이다. 흔

히 간화태극권(簡化太極拳)이라 불리는 것으로 국가 체육주관의 무술답게 동작이 부드럽고 균일하며 자세가 바르고 편안하다.

태극권 중에서도 간단한 동작으로 구성된 양식 태극권을 노인과 아이도 쉽게 익힐 수 있도록 개선한 버전. 솔직히 무공보다는 양생법에 가깝다. 무공 중에서도 고난이도에 속하는 구십구광검세에 비하면 난이도가 없다시피 한 수준.

물론 그래도 24개나 되는 동작을 실전에서 쓸 정도로 깊이 수련하기는 어렵겠지만.

'구결을 깊이 이해하지 못하면 진행이 안 되는 구십구광검세와는 달리 이건 몸으로 때우는 게 가능하니까.'

에드워드 녀석이 빡대가리긴 해도 무슨 장애를 가지거나 한 것은 아니다. 끝없이 암기하며 몸을 움직이면 어떻게든 익히게 되어 있다.

"일단 8글자를 외워라. 허령정경(虛靈頂勁). 함흉발배(含胸拔背)."

"어…… 어? 이건 뜻이 간단해요! 그냥 자세인데요?"

"그래. 정경은 머리와 척추를 바르게 하는 걸 뜻해. 머리의 가마 부분에 끈이 달려 있다고 생각해 봐. 그 끈을 당겨 보면……."

시간이 지난다.

나는 규칙적으로 생활했다. 아침에 일어나면 그레이트

홀의 배우들이 차려 주는 아침을 먹고 오전 내내 에드워드를 가르쳤다.

녀석이 구제 불능의 빡대가리라는 것은 이해한 상태였기에 녀석의 손짓 하나, 발끝의 땅에 닿는 각도까지도 철저하게 통제했다.

그리고 점심을 먹고. 다시 오후 내내 에드워드를 가르쳤다.

에드워드는 빡대가리에 몸치였지만 황제라는 인간이 하루 대부분을 자신을 위해 쓴다는 것의 의미를 모를 정도의 멍청이는 아니다.

녀석은 땀을 비처럼 쏟고 때로는 머리에서 김이 날 정도로 구결을 외우면서도 절대 포기하지 않고 수련에 전력을 다했다.

일주일, 이주일, 한 달, 두 달.

나는 종종 카심을 타고 날아가 아이언 캐슬에서 밀린 일을 처리할 때 말고는 대부분의 시간을 불꽃성에서 보냈다.

황제인 내가 머물고 있기 때문일까?

수천 킬로미터라는 까마득한 거리에도 어마어마한 인원이 불꽃성에 찾아왔다.

그뿐이 아니다.

염마왕의 납치를 피해서 숨어 있던 신성 제국의 난민들, 이그니션에서 인류 제국이라는 세력에 매력을 느껴

찾아온 망명자, 서쪽으로 피신했던 명 제국의 난민과 크리스털 연맹의 아인들.

불꽃성은 그 모두를 받아들여 인구를 불렸다.

불꽃성으로 터전을 옮긴 플라워와 크롬 왕국의 일을 마치고 찾아온 헤이즈, 그리고 강철십자 기사단을 끌고 온 스틸스톤이 그들을 분류하고, 훈련시키고, 심지어 일부는 플레이어로 만들기도 했다.

그리고 그러는 와중에도.

나는 에드워드를 가르쳤다.

"도권굉(倒捲肱)."

훅!

양발을 퇴보(退步)로 물러나는 가운데 교차하며 원을 그린다. 그 모든 동작이 물 흐르듯 빠르고 안정적.

놀라운 것은 그 동작을 취하는 에드워드의 전신에 빛이 흐르고 있다는 점이다.

단 한 자의 속성 구결도 없는 태극권. 그마저도 간략화된 무술에서 기운이 일어나기 시작했다는 뜻이다.

녀석의 하단전에 머물렀던 오러가 척추를 따라 기화(氣化)되어 연정화기(煉精化炁)의 경지에 이르렀다는 의미기도 했다.

뇌가 자극되니 타고난 광 속성이 트이고 그것이 피부를 따라 흐르며 마치 옷처럼, 갑주처럼 육신을 보호한다.

"가볍게."

"네, 폐하."
"부드럽게."
"네."
녀석을 이렇게 오래 가르칠 생각은 없었다. 천재적인 재능이 있을 테니 발전된 지구의 무학을 던져 주면 적당히 쓸 만한 무력이 될 것으로 생각했으니까.
그러나 빡대가리 녀석을 가르치며…….
뭔가 느껴지는 게 있었다.
"천천히. 그리고 더 가볍게."
"네, 폐하."
"더."
"네."
단 한 번도.
무학, 혹은 초식에서 추구하는 자세 때문에 고민한 적이 없다. 자세가 중요하지 않아서가 아니라, 고민하지 않아도 최적의 자세를 찾아낼 수 있었기 때문이다.
한쪽 눈만 감아도 거리감을 상실하는 것이 인간이다. 땅이 조금만 기울어져도 균형감에 오류가 생기고 자신의 팔다리조차 완벽히 통제하지 못한다.
신체가 피곤하거나 문제가 생겼을 때 그것을 그저 통증으로만 이해하고, 심지어 통증이 느껴져도 정확히 어디가 아픈지조차 모르는 것이 보통의 인간.
그러나 나는 다르다.

어떤 자세, 어떤 지형에 서 있어도 나는 내 육신을 완전히 통제한다. 남근을 손가락처럼 움직일 수 있고 심장 박동마저도 의지대로 조절할 수 있다. 배가 아플 때 그게 간이 아픈 것인지 위가 아픈 것인지 아니면 소장인지 대장인지까지 정확히 파악할 수 있는 존재.

그러나 오히려 그 때문에 깊이 생각하지 못했다.

무학에서 자세가 가지는 의미. 육신의 움직임에 따른 힘의 흐름.

똑같이 팔을 들라고 해도 전혀 다른 각도로 들고, 발을 내디디라는 지시에도 5센티 앞을 밟았다, 8센티 뒤를 밟았다, 뒤꿈치를 땅에 내려놨다 들었다 하는 에드워드의 대환장 파티 속에서, 나는 내가 지금껏 깊이 생각하지 못했던 무의 일면을 조금씩 보았다.

"흐름……."

그것은 어디에나 있었다. 내가 내뱉는 호흡에, 발걸음 하나에도 그것이 있었다.

나는 그것을 알게 되었다.

고오오…….

"폐하?"

"모두 물러나."

"쉿. 조용히 빠져라."

어느 순간 내 무학에는 흐름이 사라졌다. 그럴 필요가 없었다. 레벨이 오르고 컬렉션을 완성하며 내 육신의 성능이 너무나 높아졌기 때문.

모든 공격이 단타로 해결 가능한데 왜 흐름이 필요하겠는가? 심지어 나는 싸우기 위한 무학이 아니라 공업용 무학인 랜드 브레이커를 주력으로 삼을 정도로 흐름에 대해 생각하지 않았다.

그러나 흐름은 단 한 번의 공격에도 존재하며.

나의 육신 그 자체에도 존재한다.

덜컹!

새로운 요소가 [완성]되어 심상 세계에 새겨진다. 그것이 단순한 요소가 아닌, 스스로 존재하는 소우주가 열리자 지금까지와는 차원이 다른 [앎]이 폭포수처럼 머릿속에 쏟아졌다.

그리고 그렇게 영겁처럼 긴 시간이,

아니 어쩌면 한순간에 불과한 시간이 지나고 조용히 눈을 뜬다.

"……좋군."

공모전 마감일이 다가오는 어느 날.

[신체]의 차크라가 제5문. 현문(賢門).

[무공]의 차크라가 제6문. 인문(人門)에 도달했다.

* * *

문을 열고 꽃마차 밖으로 나온다.

"뭐야, 다 어디 갔어?"

꽃마차의 주변에 아무도 없다. 몬스터는 물론이고 일행 중 누구도 보이지 않는 상황.

그런데 그때였다.

탁.

가벼운 소음에 고개를 드니 꽃마차 위에 서 있는 고양이가 보인다. 당연히 진짜 고양이는 아니고 섬에 잔뜩 있는 스마트 펫 중 하나.

녀석의 머리 위로 몽실몽실 글자가 떠오른다.

[언덕 너머 나무.]

"언덕 너머 나무?"

무심코 따라 읽자 고양이가 와락 인상을 찡그린다.

[카메라는 안 본 척하라니까요!?]

"아니, 뻔히 있는 걸 어떻게 안 본 척해……."

구시렁거리며 발걸음을 옮기자 그 뒤를 체다가 후다닥 따라온다.

'아, 이거 놓고 가야 하나? 싸우다 부서지기라도 하면……'

그러나 이내 고개를 흔든다.

'방송사에서 물어 주겠지.'

"체다. 혹시 모르니 저 녀석한테 원고 보내고 따라와. 마력을 써서라도 기척 숨기고."

"스텔스 모드, 기동합니다."

나는 체다가 꽃마차의 고양이에게 들렀다 오는 걸 확인한 후 언덕을 올라갔다.

쿠쾅!

언덕을 넘어서자 내 시야에 시체 골렘의 뒷모습이 보인다.

나는 검을 들어 녀석의 목을 치려고 했지만, 그보다 녀석의 그림자가 일렁이는 것이 먼저였다.

쿠우우……!

묵직한 울림과 함께 대기의 떨림이 느껴진다.

그리고.

퍼엉!

"크에에엑……!"

발목에서 시작된 떨림이 몸을 타고 올라가자 시체 골렘의 등짝이 터져 나간다.

"술법…… 이라기엔 조금 이상한데."

사방에 튀는 피와 살점을 피한다. 하지만 그것은 시작일 뿐이었다.

"껍질을 벗겨 내도다! 드러난 속살을 물어뜯도다! 쏟아지는 생명을 찬미하며 즐기는 은혜로운 시간이 찾아오도다!"

"도도망망치치지지도도 숨숨지지도도!"

"크워어어!"

어둠 속성의 몬스터들이 언덕 위에 서 있는 커다란 나무를 향해 몰려간다.

쾅! 퍽!

시체 골렘의 주먹이, 광신도의 단검이, 기사의 장검이 나무를 후려쳤다. 그러나 둘레가 5미터가 넘어 보이는 거목은 몬스터들의 공격에도 굳건히 버틴다.

간혹 나무껍질이 뜯기고 패이는 경우도 있었지만, 강력한 숲의 마력이 일렁이면 삽시간에 회복해 원래 모습을 되찾는다.

그리고.

쿠우우---!

나무를 중심으로 울림이 있었다. 아니, 정확히 말하면 나무 자체에는 아무런 문제가 없다.

울림이, 정확히는 진동이 몬스터들 각자의 그림자에서 터져 나온다.

쩡! 텅! 까앙!

몸통이 터져 나가고 쇠가 끊어진다. 동시에 거대한 나무를 두들기던 몬스터들이 죽거나 혹은 그에 준하는 수준의 타격을 입고 바닥을 뒹군다.

"와, 한 방에 수백을 후려친다고? 오분의 일도 안 죽긴 했지만……."

그러나 그렇다 해도 기가 막힐 정도의 위력이다. 각자의 그림자를 타고 가해지는 공격이었기에 회피도, 방어도 쉽지 않고, 몬스터들 사이에 서 있는 내 그림자가 아무런 반응 없이 조용한 걸 보니 대상도 가릴 수 있다.

떵그렁!

이런 방식으로 꽤 오래 싸운 것인지 나무 근처에 아이템들이 굴러다닌다. 나는 그중 하나를 잡아들었다.

[영광스럽던 시절]
근접 데미지 +15%
저주 확률 +10%
스트레스 +10%

검은색의 장검은 이름과 어울리지 않는 이름을 가지고 있었다. 자체적인 데미지가 없고 등급도 없으며 그냥 배율만 붙어 있으니 리벤지와는 여러모로 다른 아이템 체계다.

"뭐, 꽤 튼튼해 보이네."

가볍게 휘둘러 보고 있는데 커다란 나무가 좌우로 갈라지며 그 내부를 드러낸다.

"뭘 멍하니 있어! 얼른 들어와!"

성재의 목소리를 따라 나무 안으로 들어서자 열렸던 틈이 다시 닫힌다.

"여기 다 있었네."

밖에서 보면 크지만, 나무껍질의 두께 때문에 결코 넓다고 할 수 없는 나무 안에서 네 명의 남녀가 자리하고 있다.

나무에 반쯤 묻힌 모습으로 마력을 발하고 있는 성재의 모습이야 그리 신기할 것도 없다. 녀석은 나무 속성 주문에 특화된 소서러. 전장 한가운데 나무가 서 있는 모습을 봤을 때부터 녀석이 이러고 있을 거라고 예상했다.

특이한 건 올리야의 모습이다.

"왜…… 누워 있어?"

그녀가 땅에 엎어져 있다. 포복이나 뭐 그런 게 아니라 그 풍만한 가슴이 일그러지도록 아예 땅에 붙어 있는 상태.

그녀의 좌측에는 증폭술사 레아가 붙어 있고, 우측에는 암(暗) 속성 차크라 마스터 혜영이 자리하고 있는 상황.

그러나 그들은 내 질문에 답할 정신이 아닌 듯 보였다.

"또 온다!"

"아니, 수천 마리는 죽인 것 같은데 왜 줄지를 않아!?"

"잔말 말고 준비!"

웅!

어둡던 나무 속이 밝아진다. 광원이 생겨서는 아니고 나무가 투명해졌기 때문이다. 밖에서 봤을 때는 그런 일이 없었으니 아마 안에서만 밖이 보이는 구조겠지.

그리고 그렇게 투명해진 나무 벽 너머로 그 광경이 보인다.

우웅!

아무것도 없는 허공에서 어둠이 뭉쳐…….

“크아아아앙!”

거대한 시체 골렘으로 변하는 모습이.

성재가 성질을 부렸다.

“이런 제길. 리젠 타임 점점 빨라져! 마력이 반도 안 남았는데……!”

“다른 팀들은 괜찮을까요?”

“보람 님의 본체와 함께 움직이는 파티는 괜찮을 테지만…… 모르겠습니다. 이 괴물, 그러니까, 몬스터의 수가 너무 많아요. 완성자에 준하는 괴물이 끝도 없이 쏟아지다니…….”

모두의 얼굴이 어둡다. 밑도 끝도 없이 시작된 전투가 너무나 길어지고 있었기 때문이다.

“간다……!”

그때 바닥에 누워 있던 올리야의 몸이 새파랗게 빛난다.

“증폭합니다…… 계수 9.4!”

“전달합니다…… 지금!”

쿠우우──!

올리야의 몸에서 묵직한 진동이 퍼진다. 그리고.

퍽! 퍼엉! 콰득!

나무 위를 미친 듯이 후려치던 몬스터들이 터지고 박살 나 쓰러진다!

"이게 뭐야?"

"일종의 합체기야."

마나 회복을 위해서인지 명상에 들어간 성재 대신 올리야가 답한다.

자연스럽게 품속에서 호두알만 한 크기의 알약을 꺼내 먹는 모습. 아무렇지 않은 그 분위기를 보니 특수한 효과를 가진 영약으로 보였다.

"아…… 또 리젠되네. 짧게 말하자면 내가 진동을 쏘면 레아 씨가 증폭해 주고, 혜영 씨가 그림자를 통해 몬스터에게 전달하는 거지."

"경천칠색이 증폭술과 궁합이 아주 좋아요. 아홉 배가 넘게 증폭하는데도 부담이 없을 정도예요."

"그림자 이동도 잘 맞는 편입니다. 그림자 이동을 열 번 쓰면 탈진하는데, 진동을 전달하는 건 몇 번을 해도 부담이 없어요."

"잔말 말고…… 간다!"

번쩍!

청색 빛이 터지며 올리야의 몸에서 진동이 쏘아진다. 레아가 증폭하고, 혜영이 그림자로 전달한다.

뿌드득! 퍽!

나무에 달라붙어 나무껍질을 벗겨 내고 있던 몬스터의 몸이 터져 나간다.

성재가 신음한다.

"빨리빨리 쏴 주면 안 돼? 이러다 나무가 뚫리겠어!"

"지금도 엄청나게 무리하고 있어! 지방이 다 타 버려서 내 가슴이 F컵에서 C컵이 됐다고!"

올리야의 말에 성재가 질색한다.

"아, 제발 그런 말 여기서 하지 마! 마이크 차고 있단 말이야!"

티격태격하는 모습에 생각한다.

'생각보다는 여유가 있는 모양이네.'

그들이 대충하고 있다는 말은 아니다. 성재의 얼굴은 창백하고, 약간은 살집이 있는 편이던 올리야의 몸이 훨씬 슬림해졌을 정도.

하지만.

'눈에 절망감이 없어.'

뭔가 비장의 수가 있다는 말. 나는 그게 뭔지 좀 궁금했지만 지켜보는 대신 나서기로 했다.

"진동이 부족한 게 문제지?"

내 말에 올리야가 고개를 끄덕인다. 내 생각을 짐작한 모양이다.

"물리 공격을 해 주려고? 좋은 방법이긴 한데, 흡수의 적색이랑 방출의 주황색을 같이 써야 해서 효율이 어떨지……."

"일단 대."
"대라니…… 무슨 체벌도 아니고……."
투덜거리며 엎어지는 올리야. 투명한 나무벽 너머에서 미친 듯 달려드는 몬스터들.
나는 손을 들었다. 처음에는 주먹을 쥐었다가, 이내 활짝 폈다.
그리고 생각했다.
'흐름.'
똑같은 물리력이라도 그 발현 방식은 다양하다. 가격(加擊), 타격(打擊), 충격(衝激) 등등. 단숨에 가해지는 공격 속에도 완급과 집중이 존재한다.
웅.
내공이 온몸을 휘돈다. 랜드 브레이커의 공능으로 두 다리가 땅에 뿌리내리듯 대지와 결합한다.
그리고 그대로.
내리친다.
짜악……!
"하윽……!?"
상체를 덮고 있던 옷이 찢겨 나가며 올리야의 몸이 파르르 떨리고.
"읏!"
"윽……!"
레아와 혜영의 입에서도 신음이 터져 나온다. 어마어마

한 힘의 격류에 정신을 못 차리는 모습.
그러나 그런 상황에도 그녀들은 해야 할 일을 완벽히 처리했다.
푸확-!
나무에 몸을 부딪치고 있던 시체 골렘이 박살 나 사방으로 흩어진다. 광신도가 피를 토하고 죽음의 기사가 찌그러져 바닥을 구른다.
모두가 공격을 받았지만 그중 일부만 죽었던 아까와는 다르다.
전멸(全滅).
나무 주위에 있던 그 어떤 몬스터도 살아남지 못했다.
"……와, 이게 뭐야?"
성재가 어이없다는 표정으로 주위를 둘러본다. 시끄럽던 언덕에 단번에 적막에 잠겨 들었다.
"우와! 선생, 뭘 어떻게 한 거야? 충격이 그냥 단번에 빡! 다이렉트로 진동이 됐어! 아니 그보다!"
놀라서 횡설수설하던 올리아가 벌떡 일어난다.
"살살 좀 쳐! 등짝 다 터지는 줄 알았잖아!? 아니 뭔 놈의 힘이……."
발끈하는 올리아를 본 모두가 대경실색한다.
"꺅!"
"엎드려. 엎드려!"
"일어나지 말아요!"

강제로 다시 엎드려진 올리야가 투덜거린다.

"아니, 내 가슴인데, 왜 호들갑은 이 사람들이 다 떨어."

"시끄러우니까, 일어나지 마! 이 안에도 카메라 있단 말이야!"

아닌 게 아니라 다람쥐 한 마리가 나무 벽에 붙어 우리를 보고 있다.

"뭐, 파워라면 줄여 줄 수 있어. 어느 정도가 적당해?"

사실 지나친 일이긴 했다. 지금 내 근력이 어떤 근력인가?

'빌딩을 잡아 뽑는 근력.'

전신 근육을 쥐어짜는 수준으로 친 것은 아니지만 랜드 브레이커까지 사용해 쳤으니 그녀의 몸에 가해지는 부하가 어마어마하리란 것은 두말할 필요도 없는 사실.

내가 [흐름]에 대해 깨달으며 그녀의 진동 전환을 수월하게 도왔으니 망정이지 그냥 때렸다면 경천칠색이 아무리 물리력에 강해도 내장이 다 터져 나갔을 것이다.

"줄여 준다……?"

그런데 그런 내 배려에 올리야가 멈칫한다.

그녀는 입을 열었다가 다시 닫았다. 그리고 이내 눈을 부릅떴다.

"……아니! 그냥 있는 힘껏 쳐, 쓰승! 내가 등짝이 터져도 한다!"

등에 선명한 손바닥 자국을 새긴 채, 호기롭게 외치는

올리아를 보며 웃는다.
"좋아. 그럼 계속 가지."
그렇게 말하며 손바닥을 들어 올린다.
그리고 새롭게 개발한 기술을 사용했다.
"맘스터치."
"아니 무슨 이름을 그렇게……."
항의하거나 말거나.
그대로 내려친다.
짜악!

* * *

서바이벌 아일랜드의 출연진은 서른 명 남짓이지만, 스태프까지 포함하면 200명이 넘는다. PD와 보조 PD, 작가, 환경 마법사, 워프 마법사, 정비사, 경호원, 요리사 등등.

사태가 터지고 섬이 격리당했을 때, 가장 안전한 곳이 바로 이 스태프들이 모여 있던 장소였다.

비전투원이 다수 존재하는 만큼 요새화가 진행되어 있었고, 섬 전체를 살펴볼 수 있는 시설과 각종 물자가 준비되어 있었기 때문이다.

그러나 그만큼 튼튼하고 많은 사람이 모여 있는 만큼 몬스터 역시 많이 몰려온다는 게 문제였다.

"붉은 곰! 여기는 붉은 곰! 새로운 몬스터 123체 접근 중!"

"수리가 끝난 워리어 부대는 다시 앞으로!"

"아니, 이게 뭐야? 대체 언제까지 나오는 거지?"

"영자력이 떨어져 갑니다! 교대해야 해요!"

쏟아지는 몬스터의 수는 그야말로 끝이 없었다. 30체의 기급 기가스와 2체의 수급 기가스가 접근하는 족족 쓸어 버리고 있음에도 계속해서 공간을 찢어발기며 모습을 드러낸다.

"유도 장치! 유도 장치를 파괴해야 해요! 이 괴물들은 그걸 차원 좌표 삼아 날아오고 있다고요!"

"누가 그걸 몰라? 우리도 없애고 싶어!"

그러나 그럴 수 없다.

그 이유는 그 직후 이어진 포효가 알려 주었다.

–크오오오!

망령룡 레플리가 울자 어둠과 죽음의 기운이 퍼져 나간다.

8클래스 마스터이자 국민MC, 보람이 신음한다.

"유인기 3개를 저 초월자 괴물 놈들이 품고 있다고……."

오랜 전투로 그녀의 전신이 땀투성이다.

연예계 최정상의 강자인 그녀가 죽어라 싸우고 있지

만, 그럼에도 그녀는 자신이 이 전투의 주역이 될 수 없다는 것을 알고 있다.

위잉-!

적색의 빛줄기가 섬을 긋고 지나간다. 그리고.

쿠콰콰콰쾅!

"다들 엎드려!"

"으아아 세상에!"

이 자리의 방비가 절대 가볍지 않음에도 고작 후폭풍만으로 어마어마한 피해가 발생한다.

'결국 초월자들의 전투가 가장 중요하다.'

그들이 최선을 다해 몬스터들을 몰아내도 오룡이 패배하면 모든 게 끝. 고작 셋으로 다섯의 용종을 상대하는 괴물을 이겨 낼 방법이 있을 리 없다.

"어떻게든 도와야 하는데……."

그런 애타는 마음과 달리 몬스터의 파도를 밀어낼 수 없는 상황.

그러나 어느 순간.

"뭐지 점점……."

"어라? 몬스터들이?"

미친 듯 몰려오는 몬스터의 수가 눈에 띄게 줄어들기 시작한다. 줄어드는 것도 줄어드는 것이지만 무엇보다 몬스터 웨이브의 방향이 바뀐다는 점이 기묘하다.

"이게 어떻게 된 거야? 다 어디 가는 거지?"

"휴. 그래도 한숨 돌렸습니다."

"아니 한숨 돌리는 게 문제가 아니라 저것들이 출연진들을 공격하면 어떻게 해! 어느 방향으로 가고 있…… 저게 뭐지?"

그때 시야 한편에서 뭔가가 다가온다.

쿵!

그것은 거대한 나무였다.

쿵!

시선을 끈 나무가 거대한 몸을 이끌고 성큼성큼 이동하더니 근방에 있는 가장 높은 언덕 위에 자리 잡았다. 거대한 뿌리가 땅을 파고들어 단단히 몸을 고정하는 모습이 보인다.

"크오오오오!"

"죽여라! 죽여라! 죽여라!"

"끼에에에엑!"

어쩐 일인지 주변에 존재하던 모든 몬스터가 그리로 몰려갔다. 거대한 나무가 산산이 찢겨 박살이 날 듯 위태로운 기세.

웅!

그러나 그 순간 공기가 떨렸다.

"아니, 이건."

"진동……?"

모두가 의아한 표정으로 자신의 피부를 쓸었다. 자신들을 목표로 하지 않았음에도, 온몸의 털이 빳빳이 설 정도로 살벌한 여파.

그리고 그 직후.

퍼퍼퍼펑!

콰콰쾅!

전장의 모든 몬스터가 터져 나간다.

"아니, 이런, 미친……."

"이게 뭐야……?"

모두가 넋을 놓고 그 모습을 바라본다.

사상 초유의 '깡패 파티'가 세상에 모습을 드러낸 순간이었다.

"……엄청난 위력이야."

"어떤 방식이지? 저 나무에서 공격이 퍼져 나간 건가?"

개중 몇은 그 정체를 파악하려 들었다. 당연한 일이다.

지금 그들이 상대하는 적은 10레벨인 마스터에 준하거나 조금 못한, 그러니까 8~10레벨의 몬스터.

일반적인 화기는 당연히 먹히지 않고 중하위 마법쯤은 그냥 씹고 들어오는 터프함을 가진 괴물이 수십 수백씩 몰려오는 상황이었다. 경찰 특공대나 군부대 정도가 아니면 피해 없이 상대하는 게 불가능한 규모였다.

쿠우우--!

그러나 대기가 사납게 떨리면.

피피핑! 쾅! 까앙!

너무나 쉽게 살점이 터지고 쇠가 끊어진다. 증폭술로 증폭된 강대한 진동이 파도처럼 밀려오던 몬스터의 무리를 그대로 쓸어 버렸다.

"와…… 이 정도면 7클래스 파괴 마법쯤은 되겠는데?"

그 위력 자체가 놀라운 건 아니다. 멀리 갈 것도 없이 보람만 해도 8클래스 마법사가 아니던가? 주력이 결계술이라 해도 이 정도 위력의 광역 주문은 몇 번이고 사용할 수 있다.

문제는 효율이다.

펑! 펑! 펑!

우우우웅!

터지고, 터지고, 또 터진다. 이제는 그들을 보호하는 나무까지 접근에 성공하는 몬스터가 없을 정도다.

뿌득! 쿠쿠쿠……!

그렇게 나무에 상처 낼 수 있는 적이 없어지자 바닥에 뿌리를 내린 나무가 주변의 기운을 빨아들이며 덩치를 키우기 시작했다.

뿌득! 빠드득!

심지어 나무는 터져 바닥에 흩뿌려진 시체 골렘과 광신도의 시체마저 양분으로 삼았다!

고고고.

커진다. 점점 더 커진다. 서바이벌 아일랜드에서 가장 큰 몬스터 군세의 시체를 수확한 나무는 이제 20미터가 넘는 거목으로 자라난다.

그리고 그렇게 덩치를 키우게 되자.

펑! 펑! 콰쾅!

"어? 공격 범위가 점점 늘어나는데?"

"300미터. 아니, 450미터 안쪽에 들어오는 모든 적을 공격하고 있어."

밀려오던 몬스터들의 파도는 방파제에 부딪힌 듯 박살나 흩어진다. 눈으로 보면서도 믿을 수 없는 학살의 현장이었다.

펑! 퍼펑! 쾅!

"와, 끝도 없네. 저만한 위력을 어떻게 쉬지 않고 쏘아내는 거야?"

"저 나무로 방어를 굳히고 그림자로 공격하는 건가? 문자 그대로 일방적으로 패네."

"깡패가 따로 없구먼……."

베이스캠프로 몰려들던 몬스터의 파도가 줄어들자 한결 여유로워진 사람들이 장비를 정비하고 인원을 교대하며 잡담을 나누었다.

새로이 모습을 드러낸 지원군의 활약은 너무나 대단해 모두의 시선을 끌 수밖에 없는 상황. 그리고 그들 중 한 마리의 샴 고양이가 있었다.

"7클래스 주문을 사역한 6클래스 소서러. 희귀하다는 증폭학을 수련한 5클래스 마법사. 어둠의 현문을 연 차크라 마스터. 그리고…… 8클래스 마법사를 살해한 검사."

곱게 관리한 털. 앙증맞은 캡모자. 누군가 본다면 반려묘나 한껏 치장한 스마트 펫으로 오해할 외양의 그는 사실 고양이가 아니라 고양이와 닮은 외계 종족이다.

초월종 프라야나.

사실 프라야나족은 그 엄청난 성세에도 불구하고 쉽게 볼 수 없는 희귀한 존재지만 그, 그러니까 나태석은 프라야나족 중에서는 드물게도 지구 최고의 스타 PD로 사랑받을 정도로 활동적인 성향을 가지고 있다.

"후우……."

잠시 소강상태에 빠진 상황에, 나태석의 옆에 주저앉은 보람이 섬 곳곳을 촬영하고 있는 수백 개의 화면을 보며 말했다.

"한재연이라는 녀석이 특히나 강하긴 했어. 아니 글쎄 날 가늠하더라니까?"

"드림워커 학파의 학파장을 잡았을 정도라니 가늠 못 할 것도 없지. 소식을 듣고 당연히 운이 좋아서일 거로 생각했는데…… 아니, 아무리 그래도 이런 활약이 말이 되나? 성재 녀석 능력은 내가 뻔히 아는데?"

은은한 빛을 흩뿌리는 거대한 나무는 도발 스킬을 가진 게 아닐까 싶을 정도로 광범위한 어그로를 끌었다.

수 킬로미터 이상 떨어진 거리에서 소환된 몬스터도 눈을 까뒤집고 달려오는 수준!

그리고 그렇게 달려온 몬스터들은.

퍼버벙!

콰쾅!

그림자에서 터져 나오는 폭포수 같은 진동파에 박살이 났다. 그 모습을 지켜본 스태프들이 감탄한다.

"와! 무슨 쿨 타임도 없나?"

"아니, 그보다 저만한 기술을 계속 쓸 수 있는 거야? 주문 자원이 딸릴 텐데?"

"진동이잖아! 경천칠색 아니야?"

"경천칠색이면 더 문제지! 저렇게 마구잡이로 진동을 뿜으려면 소 수백 마리를 뜯어먹어도 모자라!"

여기저기에서 의문이 튀어나온다. 태석은 생각했다.

'기묘한 합체기다. 출력과 효율로만 따지면 웬만한 8클래스 마법사를 뛰어넘어.'

물론 그들이 8클래스 이상의 격을 가지고 있다거나 8클래스 마법사와 싸워 이길 수 있다는 말은 아니다.

너무도 편중된 힘의 사용이기 때문이다.

'기동성이 전혀 없어. 기가스 3대 정도가 1킬로미터 정도의 거리에서 사격하면 맞기만 하다 죽겠지.'

그러나 물량이 어마어마할 뿐 무작정 몰려올 뿐인 몬스터들에게 그림자로 쏘아지는 진동은 그야말로 절망의 벽.

거대한 나무 주변은 이미 킬링필드라 불려도 모자람이 없는 공간으로 변해 버렸다.

"진동의 범위가 넓어지고 있어. 성재가 일으킨 물푸레 나무도 영화 때보다 훨씬 크고."

나태석은 초월종임에도 전투 능력이 그리 대단치 않다. 당연한 일이다. 그가 전투에 관심이 있었다면 극도로 평화로운 34지구에 올 이유가 어디 있겠는가?

그는 영상물을, 그걸 보는 사람들이 즐거워하는 것에 보람을 느끼는 천생 PD.

태석의 능력은 대부분 전투와 아무런 상관이 없는 방향으로 구성되어 있다. 그는 성묘(成猫)도 되지 못한 프라야나족 치고는 고위 능력자였지만, 그래 봐야 34지구에서는 경찰 한 명 이기기 힘든 수준!

그러나 그렇다 하더라도.

'좋다. 좋아……!'

수많은 능력자를 봐 온 그의 눈은 상황을 정확히 파악했다.

"포텐이 터지고 있다."

위기가 영웅을 탄생시키고 있었다.

* * *

"포텐이 터지네."

어이가 없어 웃는다.
"아니 여기에서 성장을 한다고?"
처음보다 훨씬 넓어진 나무 속에서 중얼거림에도 대답하는 이 하나 없다.
그저 재촉이 있을 뿐이다.
"쓰승! 지금!"
"좀 기다렸다 하는 게 낫지 않나? 사십 마리밖에 안 모였……."
"쓰승!"
"아, 그래."
한숨 쉬며 손바닥을 들어 올린다. 랜드 브레이커로 땅에 내 몸을 고정하고, 복합 장갑도 찢어 버릴 괴력을 그대로 내려쳤다.
찍!
손에 닿는 느낌이 아까와 다르다. 올리야가 아까보다 더욱 완벽하게 충격을 흡수한다는 뜻.
"허읏……!"
살결에 손이 감기는 느낌과 함께 그녀가 신음한다.
그리고 이어서.
"읏……!"
"하아……!"
레아와 혜영이 파르르 몸을 떤다.
퍼퍼펑!

그림자를 통해 진동이 쏘아지자 나무로 접근하던 몬스터들이 터져 나간다.

"계수…… 계수 13.2!"

"더 먼 그림자…… 영역과 그림자계……."

두 여인도 홀린 듯 자신의 역할을 수행하고 있다.

주목할 만한 현상은 셋의 역량이 빠르게 성장하고 있다는 것이다.

"와, 진동 자체가 세졌는데 그게 이제 13배로 증폭되네."

그뿐이 아니다.

"언덕 너머에 있는 몬스터까지 터트리고 있고."

진동을 일으키고, 증폭하고, 전달하는 과정에서 세 여인이 자신의 한계를 넘어서고 있다. 감당하기 버거운 힘을 통제하는 과정이 그녀들을 자극했기 때문이겠지.

그러나 가장 도드라지는 성장을 보이는 이는 따로 있었다.

꾸드드드득!

나무가 또 한 차례 성장하며 묵직한 소음이 울려 퍼진다.

고개를 돌려보니 투명한 나무 너머로 시체에 뿌리박고 뭔가를 빨아들이는 나뭇가지의 모습이 보인다.

몬스터의 시체는 시간이 지나면 소멸함에도 어째서인지 양분으로는 흡수할 수 있는 모양이다.

"야…… 너 어둠 속성 몬스터를 그렇게 빨아들여도 돼?

너 목 속성 소서러라면서."

내 말에 명상에 잠겨 있던 성재가 눈을 뜬다.

"내게는 속성이 하나 더 있지."

"빛 아냐?"

내 말에 성재의 목소리가 높아진다.

"아니!"

고오오…….

성재의 몸에서 은은한 서광(曙光)이 뿜어진다.

"내가 사역한 궁극 주문의 이름은 [새벽]! 어둠을 살라 먹고 아침을 불러오는 징벌자의 힘이다……!"

빛이 뿜어진다. 어둠을 불태워 만들어진 그 빛은 나무 안에 있는 모두에게 활력을 불어넣는 것은 물론 그 자신의 속성으로 만들어 낸 나무를 성장시키기까지 했다.

'빛 주문과 나무 주문의 상성이 엄청나네. 아마 알고 사역한 것이겠지만.'

그렇게 생각하며 녀석의 눈앞으로 손을 흔들었다.

"아, 그런데……."

녀석의 동공이 미동도 없다. 내 말에 대답했지만 나를 전혀 보지 않는 분위기.

"지금 제정신 맞지?"

"……."

대답이 없다.

"하긴 제정신으로 저런 대사를 읊을 리 없지……."

"쓰승!"

"알았어, 알았어!"

다시금 날 부르는 소리에 팔을 들어 올린다.

문득 이 상황이 어이가 없어 웃는다.

'이것들이 지들끼리만 성장하네!'

모두 넋이 나가 버려서 혼자 제정신인 나만 뻘쭘한 상황.

그때였다.

콰콰콰!

무지막지한 폭음과 함께 대지가 흔들린다.

고개를 돌려보니 바닥에 쓰러진 망령룡을 레드 드래곤과 블루 드래곤이 물어뜯고 꼬리로 내려치는 모습이 보인다.

망령룡은 무지막지한 사기(死氣)를 흩뿌리며 저항했지만, 벌써 한쪽 날개가 어디로 갔는지 없고 하체는 꺼지지 않는 불에 활활 타오르고 있다.

"이쪽 싸움이 끝나고 도와야 하는 게 아닌가 했는데 그 전에 끝나는 건가?"

무지막지하던 몬스터 웨이브는 이제 거의 끊겼다. 끝이 없어 보이던 몬스터 리젠에도 결국 한계가 있던 것!

그러나 파이브 드래곤과 싸우고 있는 초월급 몬스터들이 쓰러진다면 그 전 상황과 아무 상관없이 싸움이 끝날 것이다.

완성자급 몬스터가 수천이 아니라 수십만 수백만이 있어도 소용없다.

그게 초월자라는 존재의 위상인 것이다.

"하긴 오히려 지금까지 싸움이 이어지고 있는 게 이상하지."

상대가 초월급 몬스터라지만 이쪽은 그 초월자가 다섯이다. 파이브 드래곤, 즉 F · D가 하나하나가 고룡급이 아니냐는 소문이 도는 강력한 초월자라는 걸 생각해 보면 명백한 이상 상황.

'물론 F · D들은 자신들이 1,000살 갓 넘은 파릇파릇한 성룡이라 주장하고 있다지.'

그 순간 레드 드래곤 루비가 숨결을 내뿜어 망령룡의 머리를 완전히 태워 버렸다.

동시에 나는 싸움이 길어지는 이유를 알 수 있었다.

쿠우우!

하늘에서 어둠이 뭉치더니

-크아아아앙--!

온몸의 털이 삐쭉 서는 포효와 함께 사기(死氣)로 가득한 검은색의 몸체가 모습을 드러낸다.

"아, 미친…… 아니 이게 리젠이 된다고?"

영능학적으로 말이 안 된다. 교과서에 나오는 종말 프

로젝트도 이런 짓은 못 했다.

[하하하하하!]

까랑까랑한 웃음소리가 터져 나온다. 마치 전문 성우가 연기한 듯 사악함이 담긴 목소리. 고개를 들어 보니 하늘에 검은 로브의 사내가 보인다.

[자! 드디어 10턴이다!]

유쾌한 목소리에 레드 드래곤 루비가 슥 고개를 움직인다.

[계속 죽어 나가는 주제에 여유 있군. 리젠을 믿는 모양인데 우리도 이미 좌표 파악을 완료했다. 그 리젠이라는 거 더 해 봐야 두세 번 정도가 끝이 아닌가?]

파이브 드래곤도 지금까지 그냥 싸우기만 한 게 아니라 그들의 한계를 파악하고 있었던 모양. 그러나 다크 메시아는 전혀 기죽지 않았다.

[하하하! 역시 드래곤들은 대단하군. 그런데 그렇게 대단한 분들이 턴에 대한 상식은 없나? 10턴이야 10턴! 어둠의 구원자인 내가 아무 문제없이 10턴에 이르게 하다니!]

[무슨 영문 모를 소리를 하.]
[세 개의 명부(名簿)!]

다크 메시아가 크게 외치며 단검을 들어 자신의 목을 긋는다.
좌악!
그것은, 거의 동시에 일어났다. 먼저 다크 메시아의 머리가 땅에 떨어졌다. 스스로 목을 잘라 목숨을 끊어 낸 것.
그리고.
쿵! 쿵! 쿵!
레드 드래곤 루비. 블루 드래곤 사파이어. 블랙 드래곤 흑요의 머리가…… 땅에 떨어졌다.
"……."
잠시 인지 부조화가 와서 멍하니 그 모습을 보고만 있다가 저 먼 곳에서 터지는 비명을 듣는다.
뛰어난 시력으로, 마법으로, 카메라를 통해 초월자들의 전투를 훔쳐보고 있던 모두가 그 모습을 본 모양이다.
우웅!
허공에 어둠이 맺히고 다크 메시아가 리젠된다.
그가 환히 웃으며 소리친다.

[이제 3대2로군?]

"아, 미친."

절로 욕이 나온다. 등줄기로 식은땀이 흐르는 게 느껴진다.

뭔가가, 아주 크게 잘못 흘러가고 있었다.

마검왕 히페리온.

34지구 최고의 실력 게임이라 불리는 블레이드&매직의 최종 보스다.

'모를 수가 없지.'

이능에 대한 고증이 잘되어 있는 블레이드&매직은 학교에서 플레이 시간을 따로 마련해 줄 정도였기 때문에 그 최종 보스인 히페리온의 유명세 또한 어마어마하다.

사용자의 정신을 파괴하는 마검의 저주를 이겨 냈다는 배경 설정을 가진, 천마신공(天魔神功)으로 초월의 경지에 이른 절대 고수.

'망령룡 레플리도 마찬가지.'

이쪽은 아예 교과서에도 나오는 녀석이다. 온갖 게임에 등장하니 지구상 가장 유명한 드래곤이라고 해도 과언이 아닐 정도!

다만 다크 메시아의 경우는 상황이 다르다.

'제목이 뭐라고 했지? 그래. 다크 스타였어.'

게임 신의 사제 레아의 말에 따르면 다크 스타는 34지구에 서비스되지 않은 게임이다. 게임 자체가 서비스되지 않으니 거기에 등장하는 보스 중 하나인 다크 메시아 역시 아는 사람이 있을 리 없다.

"제길, 무슨 장르 게임인 거지?"

몬스터가 어느 게임 출신이든 상관하지 않았다. 당연한 일 아닌가?

어차피 우리가 싸우는 장소는 현실.

우리가 감당해야 할 것은 현실의 물리 법칙이지 게임의 룰 따위가 아니다.

'멀리 갈 것 없이 나만 해도 그랬지.'

내 상태창에는 '치명타 확률'이나 '명중률' 따위가 존재하지만 그건 없는 확률이나 다름없다. 적이 내 공격을 피해도 명중률이 100%면 맞고, 적이 내 검을 막았음에도 치명타가 터져서 공격이 머리에 박히는, 말 그대로 물리 법칙을 벗어난 일은 일어나지 않았다.

그런데 지금.

다크 메시아는 자신의 룰을 강제하고 있다.

'턴이라고 했어. 거기에 모바일…… 설마.'

어이가 없어 웃음이 나온다.

'설마 턴 기반의 CCG인가?'

Collectible Card Game. 즉, 수집용 카드 게임이다. 그중에서도 턴제 기반의 CCG는 턴마다 마나 구슬이 쌓이는 방식으로 진행된다.

그리고…… 그렇게 마나가 쌓여 후반부가 되면 강력한

조건부 마법이나 하수인을 소환하는 게 가능하다.

특히나 플레이어가 아니라 보스 몬스터의 경우 상식적으로 말이 안 되는 효과의 카드를 가진 경우가 허다하다.

즉, 녀석이 10턴에 적당한 카드를 뽑는 데 성공한다면, 자신의 목숨을 바쳐 초월자 셋을 죽이는 것도 가능하다는 뜻!

"아니, 아무리 그래도 그렇지 여긴 현실이잖아!"

그야말로 미친 소리다. 보통 인간도 아니고 고룡급 초월자에게 즉사 카드가 먹힌다는 게 말이나 될 법한 일인가?

'그러나 드래곤 셋이 목이 잘린 건 현실이지.'

거기까지 생각이 진행되자 마음이 싸늘하게 식는다.

움직여야 했다.

우리 쪽 초월자가 다 죽기 전에!

"쓰승!"

"쓰승 같은 소리 하지 말고 다 일어나!"

넋 나가 있던 일행을 두들겨 깨운다.

성장도 할 만큼 했으니 억울할 것도 없었다.

"으으…… 재연아?"

"그래. 이젠 좀 제정신인가? 지금 이대로 꽃마차에 가서 자고 와. 자기 전에 이거 한 접시씩 먹이고."

"으…… 쓰승…… 등이 아파……."

"너 지금 완전 슬림핏이야. 이거 다 먹고 와라."

고급 등급의 송편 네 접시와 멧돼지 뒷다리 60kg을 넘겨줬다. 줄어드는 과금력에 가슴이 미어졌지만, 돈을 아낄 상황이 아니다.

"뭐야, 넌 어쩌려고?"

"파이브 드래곤. 아니, 이제 투 드래곤인가? 하여튼 그들을 도와야 해."

"뭐!? 너 미쳤어? 초월자들의 싸움에 가겠다고?"

기겁하는 성재의 말에 고개를 끄덕인다.

"그래야지. 살고 싶으면."

"……."

성재는 잠시 멍한 표정을 지었지만 이내 표정이 심각해졌다. 어느 정도 정신이 돌아오자 현재 상황이 얼마나 심각한지 깨달은 것이다.

"넌 안 쉬어도 괜찮겠어?"

"내 최고 장점이 체력이야."

이론상 무한이다.

"……조심해."

"그래."

드드득!

어마어마하게 덩치를 키운 나무의 틈이 벌어진다. 내가 그 틈으로 나오자 다시 틈을 닫은 나무가 뿌리를 들어 올렸다.

쿵! 쿵!

거대한 나무가 느릿느릿. 그러나 수십 미터씩 멀어져 가는 모습을 잠시 지켜보다 몸을 돌린다.

"아르데니아. 중문(重門). 개방(開放)."

그리고 불러낸다.

"소환(召喚)."

〈축복의 파랑새 푸르푸르(희귀)가 소환됩니다!〉

〈푸르푸르가 여행자의 축복을 사용합니다!〉

〈모든 스텟이 20포인트만큼 상승합니다!〉

〈버프 유지 시간 4:59〉

아무것도 없던 허공에서 나타난 작은 새는 등장과 동시에 일을 시작했다.

포로롱~

사방에 떨어져 있는 아이템을 줍기 시작한 것이다.

'가능한 한 챙겨 두자. 현실에서 얻는 아이템은 지구에서든 아르데니아에서든 꺼내 쓸 수 있으니.'

파랑새와 함께 나 역시 발로 뛰며 주위에 있는 아이템을 싹 수거했다.

[인벤토리 중량이 75%를 초과했습니다!]

[인벤토리 중량이 75%를 초과하여 이동 속도가 느려집니다!]

[인벤토리 중량이 100%를 초과했습니다!]

[인벤토리 중량이 100%를 초과하여 이동 속도가 극도로 느려지고 체력, 생명력, 마나가 천천히 감소합니다!]

인벤토리는 금방 찼다. 행운 세트라곤 혜영에게 받은 반지밖에 없는 현실이지만, 어쩐 일인지 다른 게임 출신의 몬스터들에게도 여신의 가호 3단계가 적용되었기에 아이템은 충분하다 못해 넘칠 정도로 쌓여 있다.

“로그인.”

그대로 아르데니아로 들어간다.

“플라워.”

“네, 폐하.”

평소처럼 집무실 앞 책상에서 업무를 보고 있던 플라워가 차분하게 예를 표한다.

책상 위에는 한 무더기나 되는 서류와 패드가 놓여 있다.

“……아직도 일이 많아? 이제 행정 쪽은 거의 다 훑어 놨을 텐데.”

“보고 관련으로 간단히 정리하는 정도입니다. 그나저나 무슨 일이신가요?”

“외과 수술 준비를 해 줘.”

그렇게 말하고 인벤토리에 있던 아이템들을 죄다 꺼내 종류별로 늘어놓았다.

특히나 무기들은 집기 편하도록 책상 위에 쌓았다.

"수술이라니…… 부상자가 있습니까?"

"생길 예정이야. 로그아웃."

지구로 돌아가 파랑새와 함께 열심히 아이템을 주웠다.

다행히 현실에서는 시간이 지나도 드랍된 아이템이 소멸하지 않기 때문에 그 숫자가 상당하다.

'생각보다 여러 번 왔다 갔다 해야 하네.'

지구에서 줍는 아이템은 당연히 아르데니아의 인벤토리로 들어간다. 이제는 90개까지 늘어난 게임 속 인벤토리는 오직 게임 아이템을 꺼낼 때 쓸 수 있을 뿐.

'그마저도 요새 자동 사냥을 못 돌려서 다 비어 가는구나.'

안타까워하고 있는데 저 멀리에서 거대한 검격이 원뿔 모양의 고드름과 충돌하는 모습이 보인다.

쿠콰콰!

폭음과 함께 충격파가 밀려온다.

"읏차!"

당황하지 않고 검을 휘둘러 충격파를 베어 낸다. 직접 공격도 아니고 후폭풍에 휩쓸릴 정도로 약한 내가 아니다.

"끼엑!"

그러나 상황이 달랐던 파랑새는 외마디 비명과 함께 소

환이 취소되었다.

"우웨웅!"

거기에 경고음도 들린다.

"아차, 체다도 아직 있었네."

다행히 방어 시스템이 가동해 부서지거나 하지는 않았지만 내장된 마나를 거의 쓴 듯 경고음을 계속 낸다.

급박한 모습이지만 일단 펫부터 소환하기로 한다. 아쉽지만 파랑새는 소환할 수 없었다.

'비활성화 되었군. 아르데니아에서는 많이 들었지만 실제로 보는 건 처음인데.'

절대 사망하지도, 공격의 대상이 되지도 않는 리벤지에서와 달리 아르데니아에서는 펫이 죽어 나가는 경우가 있었다. 그리고 그렇게 죽게 되면, 그 카드는 삭제된다.

'컬렉션에서도 빠진다고 하니 나중에 다시 구해서 채워야지.'

그렇게 생각하며 다른 희귀 등급 파밍펫인 그림자 까치 샤샤샤를 소환했다. 그렇게 딴 짓을 하는 동안에도 체다가 계속해서 울었다.

"우웨웅! 우웨오웅!"

"와, 듣기 싫어. 무시하기 어렵다는 점에서는 목적에 충실하구먼."

나는 체다의 몸을 가볍게 털어 준 후 내공을 주입했다. 내공은 마나 변환 효율이 높지 않지만, 그래도 잠시간 활동하기에 무리가 없으리라.

"체다. 저기 보이는 베이스캠프에서……."

"그러실 필요 없습니다."

드드득.

순간 흙과 먼지로 엉망이던 체다의 모습이 삽시간에 변한다. 전체적으로 회색빛을 띠는 흰색 몸통에 귀, 꼬리, 주둥이, 다리 끝이 초콜릿 빛을 띠는 샴 고양이.

어이가 없어 물었다.

"PD님? 지금 제 스마트 펫을 해킹하신 겁니까? 아무리 비상 상황이라지만."

"25억."

"……."

바로 입을 닥치고 귀를 기울인다. 실로 그럴만한 액수, 태석 PD님이 설명하신다.

"어차피 전투에 참여하실 생각이었죠? 저와 동행하셔 주신다면 전투 수당 25억을 챙겨 드리겠습니다. 심지어 제가 전투를 보조할 수도 있습니다."

단번에 내가 뭘 원하는지 알고 움직이는 훌륭한 협상 방식이다. 과연 대한민국 최고의 스타 PD라 할 만하다.

"500만 원에 덜덜 떠시던 게 엊그제 같은데."

"아니 설마 제가 500만 원이 없어서 덜덜 떨겠어요? 주마다 수십 명에게 줘야 하는 출연료가 500만 원이라니 덜덜 떤 거지! 재연 씨는 돈 많으면 컵라면 100만 원 주고 사 먹어요?"

너무나 옳은 말씀이시다.

"즉. 지금은 비상 상황이라는 거군요."

"예능도 예능이지만 지금 이 사건은 우주적인 이벤트예요. 무조건 기록해야 합니다."

"그래도 예능 할 수 있으면 좋고?"

"당연한 말씀을!"

콰콰콰광-!

고민하는 와중에도 주변으로 토사가 무너져 내린다.

나는 가볍게 몸을 움직여 피한 후 물었다.

"나중에 공을 세워서 따로 수당이 나오면?"

태석이 답한다.

"당연히 별개입니다."

"콜."

협상이 끝남과 동시에 달리기 시작한다. 저 멀리 두 드래곤과 세 초월급 몬스터가 싸우는 모습이 보인다.

콰콰쾅!

섬의 중앙부는 완전히 폐허가 되어 있다. 드래곤들이 내뿜는 숨결과 1초에 수십 개씩 터지는 마법, 천지를 가르는 검광, 기묘한 특수 효과를 가진 주문…….

슬쩍 내려다보니 이미 수십 미터 이상 파인 구덩이로 바닷물이 차오르고 있다.

"일단……."

나는 인벤토리에서 검은색 장검을 꺼내 자세를 잡았다.
"로그인."
아르데니아로 들어가 일단 인벤토리를 비웠다.
"폐하?"
"아, 힐러도 셋 정도는 더 불러 줘."
"……네, 폐하."
물러나는 플라워를 일견한 뒤 수인을 맺는다.

광(光). 현문(賢門). 일격(一擊). 역문(易門). 개방(開放). 광참격(光斬擊).

다수의 어둠 속성 몬스터와 싸울 때, 나는 상성 관계인 광 속성 대신 빙 속성을 사용했다. 빛 속성이 몬스터에게 더 잘 먹히리라는 사실을 몰라서가 아니다.
'데미지 대신 부가 효과에 집중한 거지.'
빛 속성은 한 번 사용하면 끝이지만 떨어진 온도는 대기에 남는다. 온기가 없는 언데드의 육신을 굳어 버리게 만드는 것.
그러나 지금 상대할 적은 그런 부가 효과를 노릴 수준이 아니다.
"여기에…… 투척(投擲). 거문(巨門)……."
두 손으로 천천히 수인을 맺는다. 차크라 수련자들에게 목숨처럼 중요한 간략화는 나와 상관없는 일. 극도로 차분하고 명확하게 수인을 완성한다.
"로그아웃."
그리고 지구로 돌아와 내공을 돌렸다.
꾸드드드득!
랜드 브레이커로 땅에 뿌리내린 채 온 근육을 뒤튼다. 전신 근육이 살벌한 굉음을 흘리며 장전된다.
그리고 마지막.
'검기를…….'
검에 검기를 주입하려 했지만, 힘에 부친다.
2개의 차크라 술식에 랜드 브레이커. 거기에 전신 근력까지 끌어 모으는 상태에서 운기를 하기에는 내 역량이 모자라다.
그러나 방법은 있었다.

[검기 발현(영웅).]

사용된 스킬이 강제로 내공을 뽑아 가고.
검기가 담긴 검을 그대로 내던진다.
----!
소리는 없었다. 다만 확실한 것은 투척의 순간 오른손 다섯 개의 손톱이 동시에 터져 나갔다는 것이다.
사실은 손끝 정도가 아니라 손가락 끝이 박살이 났다. 갈라진 살결 사이로 손가락뼈가 보인다.

"로그인."

침착하게, 그리고 누구에게도 들리지 않을 웅얼거림으로 아르데니아에 들어간다.

"폐하!?"

경악해 달려오는 플라워에게 오른손을 내밀고 왼손으로는 미리 준비한 송편을 씹어 먹는다.

[찬란한 옥토끼의 달빛 송편(전설)을 섭취하였습니다! 4시간 동안 회복력과 마나 회복력이 300포인트 증가합니다! 특수 자원 회복력이 5배 증가합니다!]

[10분에 한 번씩 적의 공격을 1회 방어합니다!]

[20분에 한 번씩 랜덤한 상태 이상을 해제합니다!]

단 한 번의 투척에 사경을 헤매던 육신이 빠르게 복구되기 시작한다. 플라워는 능숙한 솜씨로 오른팔을 고정하고 스킬을 발현했다.

"그레이트 힐!"

드러났던 손가락뼈를 살점이 뒤덮는다. 안타깝게도 손톱은 금방 자라지 않았지만, 어차피 또 터질 테니 자라봤자 번거롭기만 하다.

"후. 좋아. 역시 최고 사제로구먼."

"폐하!"

내 농담에 플라워가 답지 않게 버럭 신경질을 부린다.

붉어진 두 눈에 담긴 걱정에 쓰게 웃고 말았다.

"꼭 해야 할 일이야. 어쩔 수 없다."

"……죄송합니다. 다 생각이 있으실 텐데."

나는 잠시간 쉬었다. 오른손이 완전히 회복되지 않았지만 상관없다. 이번엔 왼손으로 던질 것이기 때문이다.

나는 아까와 마찬가지로 광참격과 투척 술식을 적용한 후 인벤토리에 장검 하나를 집어넣었다.

"로그아웃."

시구로 넘어가 그대로 자세를 취할 때는 내가 던진 장검이 다크 메시아의 몸을 막 쪼개려고 하던 순간.

그러나 놀랍게도…… 레플리가 반응했다. 그 거대한 꼬리를 휘둘러 검을 쳐 낸 것!

믿을 수 없는 반사 신경이었지만 검에 담긴 위력은 녀석조차 예상하지 못한 듯했다.

쩌어어엉---!

충격파와 함께 레플리의 꼬리는 물론 엉덩이까지 허공에 들리며 자세가 무너진다. 녀석을 마주하고 있던 화이트 드래곤 스노우에게는 절호의 찬스였으리라.

콰득!

입을 열어 목을 깨물자 레플리의 목에서 새하얀 냉기가 터져 나온다. 나는 그대로 두 번째 검을 던지려 했으나.

팟!

어디서 나타났는지도 모를 흑검의 사내가 나를 향해 돌진한다. 그 공세가 너무나 빨라 목표물을 바꿔 녀석에게 검을 던질 수밖에 없었다.

스슥!

그러나 그 순간 그의 신형이 흐릿해지더니 너무나 손쉽게 투검을 회피. 내 품에 파고들었다.

이어지는 전투 예지!

그 결과는.

'아, 안 돼! 죽는…….'

[달빛 방어!]

[9:59]

와장창!

내 눈앞에 떠올랐던 보호막이 박살 나며 죽음의 예지에 변화가 생긴다. 나는 발작하듯 모든 근력. 내공을 끌어내 예비용 검을 휘둘렀다.

그뿐이 아니다.

"금강계(金剛界)!"

비명과도 같은 보람의 외침이 들리고.

"비틀려라!"

내 등에 매달려 있던 태석이 소리쳤다.

콰쾅!

폭음과 함께 튕겨 나간다. 온몸이 부서질 듯 아팠지만 그래도 죽지 않았다.

"죽일 생각이었는데…… 제법이군."

흑검을 가볍게 휘돌리며 흑발의 사내가 웃는다.

"아, 시발."

욕이 절로 나온다.

[22레벨]

마검왕 히페리온.

블레이드&매직의 최종 보스가 거기에 있었다.

'아니 그냥 20이어도 힘들 것 같은데 22레벨?'

이제는 대우주에서도 널리 쓰이는 레벨 분류에서 19레벨과 20레벨은 하늘과 땅 차이이다.

필멸자와 초월자의 차이, 인간과 신의 차이.

초월자의 벽에 막혀 죽을 때까지 19레벨에서 벗어나지 못하는 이들이 얼마나 많던가?

'일성 회장 배재석, 마법 소녀 강보람, 용전사 김동민 다 그런 케이스지.'

심지어 20레벨의 벽을 넘는다고 쭉쭉 성장하는 것도 아니다. 실제로 대부분의 초월자가 그 긴 수명을 다할 때까지 21레벨의 벽을 넘지 못하니까.

22레벨이라는 레벨은 그 한계조차 뛰어넘어 '위'를 향하기 시작했다는 뜻이며, 그가 초월의 경지에 완벽히 적응한 초월자라는 뜻이기도 하다.

웬만한 미개 문명은 혼자서 박살 내 버릴 수 있는 괴물 중의 괴물!

'그나마 다행인 게 있다면.'

34지구는 초월자도 법을 어기면 경찰이 잡아가는 마경이며.

이곳에 [군대]는 없더라도 34지구에서도 최상위권에 속하는 전투원과 장비가 다수 속해 있다는 점이다.

쩡!

머리통만 한 탄환이 찌그러져 바닥을 구른다. 막 돌진하려고 발을 뗐던 히페리온이 멈칫하는 순간 그의 눈앞에서 빛나는 구체 하나가 나타나 폭발한다.

비잉-!

기묘한 소리다. 물리적인 폭발이 아니라 마법적인 어떤 작용.

핑!

그러나 그 효과를 알 수는 없었다. 빛살처럼 휘둘러진 묵색의 강기가 그것을 갈라 버렸기 때문.

말로만 듣던 천마강기에 긴장할 때 내 귓속으로 보람의 목소리가 파고든다.

"네 장단점. 빠르게!"

신속하게 답했다.

"빠른 재생력. 강대한 공격력. 끝없는 체력. 단점은 방어력이 떨어집니다."

"그럼 내가 탱커! 너는 보조 딜러야!"

쿵!

먼저 날아온 말에 뒤이어 보람이 내 옆에 내려선다. 나는 슬쩍 고개를 돌렸다가 당황했다.

"……복장이?"

"언급하지 마. 황금용신, 그 변태 새끼랑 싸우고 싸워서 이만큼이라도 개선된 거니까."

국민 MC이자 어르신 중의 어르신인 보람이지만, 그렇다 해도 그녀의 외모는 10대 후반. 많이 잡아 봐야 20대 초반에 불과하다.

160도 채 안 되는 신장에 귀여운 외모는 여인보다는 소녀에 가까운 것.

그런 의미에서 그녀의 복장은 좀 많이 지나친 편이다.

"아니, 무슨 플레이트 아머가 가린 곳보다 안 가린 곳이 많아요? 탱커 할 수 있는 거 맞습니까?"

"언급하지 말라니까!?"

투두두두! 콰쾅!

다시 한번 후방에서 포격이 가해진다. 슬쩍 고개를 돌려보니 기가스 여러 대가 한곳에 뭉쳐 포격을 쏘아 내는 모습이 보인다.

히페리온은 포격이 거슬린다는 듯 즉시 땅을 박차고 뛰었다.

상대적으로 이동 능력이 뒤떨어지는 무공 사용자라 해도 초월자쯤 되면 한걸음에 1킬로미터 정도 뛰는 것은 어렵지 않았다.

그라면 단숨에 베이스캠프에 뛰어들어 포격을 가하는 기가스와 스태프들을 학살할 수 있겠지.

그러니까, 보람이 막아서지 않았다면 말이다.

쩡!

일격에 결계가 부서졌다. 그러나 궤도만 조금 비틀고 말았던 내 달빛 방어와 달리 그녀는 강기를 온전히 받아냈다.

"오?"

이건 좀 놀라웠는지 히페리온의 눈이 조금 커진다.

"우습게보지 마! 외부랑 연결만 안 끊겼어도 너 따윈 나 혼자 상대할 수 있었어!"

호기로운 외침에 히페리온은 굳이 대꾸하지 않았다.

대신 묵빛 강기를 휘감은 검강을 다시 내리쳤다.

쩌어엉!

결계가 부서진다. 이번에도 막아 냈지만, 보람의 얼굴이 창백하게 변한 걸 보니 타격이 만만치 않은 모양.

"로그인."

아르데니아로 넘어가 달빛 방어를 충전하고 차크라 수

인을 맺었다.

"블레스!"

"스트렝스!"

"패스트 무브!"

플라워와 다른 의사들이 사제 계열의 버프를 걸어 주었다. 솔직히 효과는 그냥저냥이지만 할 수 있는 모든 걸 다 해야 하는 상황이다.

"로그아웃."

지구로 돌아왔을 때 난 이미 히페리온의 등으로 달려드는 상황이다.

쩍.

대지가 찌그러진다. 강대한 내공으로 진각을 밟고 그대로 랜드 브레이커를 내려찍는다. 죽음의 기사에게서 드랍되었던 검이 빛살처럼 녀석의 정수리에 떨어진다.

그러나 히페리온은 돌아보지도 않았다.

'이…… 자식이?'

녀석의 뜻은 명확하다. 내게 한 방 맞더라도 일단 보람을 썰어 죽이겠다는 것! 그는 찰나의 순간 공격을 포기하는 대신 그대로 공격을 이어 나가며 등 뒤로 호신강기를 일으켜 세웠다.

합리적인 판단이다.

랜드 브레이커에 담긴 물리력은 끔찍할 정도로 강력하지만 호신강기는 초월의 격(格)을 가진 기술이다. 떨어지는 운석도 막을 수 있는 호신강기를 물리 특화 기술로 뚫는 것은 불가능에 가까운 일.

한 대 맞는 게 기분이 나쁘더라도 일단 보람만 정리하면 10초 내로 나머지 인간을 학살하고 드래곤과의 전투로 돌아갈 수 있겠지.

그러나 합리적인 판단이라는 것은.

방심과 같은 뜻이다.

"뒤져 봐라."

[천검-관월아(貫月牙)]

[천지를 가르는 검]

콰득!

모든 것이 느릿하게 보였다. 호신강기를 박살 내고 파고 들어가는 검.

퍽!

그리고 그 찰나의 순간 환상처럼 흐릿해지더니 머리 대신 어깨로 검을 받아 내는 히페리온.

'……아! 머리를 쳤어야 치명타 판정이 떠서 쉐도우 트와이스가 터지는데!'

그러나 안타까워할 틈도 없이 죽음의 예지가 뜬다. 보람을 베어야 할 검격이 나에게로 향한 것!

찰나의 순간 천마강기에 심장이 꿰뚫려 죽는 내 모습이

보인다.

[**달빛 방어!**]
[9:59]

와장창!
방어막은 등장과 동시에 부서졌지만 적어도 죽음의 예지는 사라진다.
'젠장, 빨라……!'
모든 것이 느릿한 세상에서 히페리온의 흑검만이 시간을 감은 듯 가속한다. 극도로 예민해진 감각권 속에서도 빛살 같은 검격!
"로……."
로그인&로그아웃은 무적의 탈출기지만 아무리 말을 빨리 해도 0.2초 이상의 시간이 걸린다.
찰나의 격전 속에서 달빛 방어를 몇 번이나 불러오기는 불가능!
나는 모든 내공을 끌어올려 검격을 막았다.
우득!
"그……."
내 검이 검기 채로 끊어진다. 그러나 충돌의 타격이 없진 않았기에 심장을 꿰뚫어야 할 검격이 완전히 빗나간다.

'좋아. 쳐 냈…….'

서걱!

벼락같은 검격이 기어이 내 오른손을 잘라 낸다.

그리고 그 순간.

"……인."

아르데니아로 들어선다.

좌악!

"꺄악! 폐하!?"

"팔이……."

비명 소리를 들으며 가쁘게 숨을 내쉰다.

"허억…… 허억…… 죽겠네, 진짜."

일검, 일검이 너무나 살벌하다.

"바늘! 폐하의 오른팔 꽉 잡고!"

"네! 시종장님!"

내가 허덕이는 동안 수술이 진행된다.

땅에 떨어지기 전 내 손을 잡아챈 플라워가 실과 바늘을 들어 절단면을 꿰맨다.

파파팟!

순식간에 잘려 나간 팔을 꿰맨다. 기예에 가까운 수준의 봉합술!

'그러고 보니…… 힐러들이 민첩 스텟을 찍는다던가.'

아르데니아는 게임이 아닌 현실에 가깝고 당연히 스텟 투자 방향도 게임과 다르다. 게임에서야 마나&마나력에 몰빵하면 그만이지만, 현실에서도 그럴 수는 없는 것.

단순히 힐링만 하는 게 아니라 수술을 병행하는 의사들에게는 섬세함과 손재주에 도움을 주는 민첩 스텟이 필수였다.

"그레이트 힐!"

"그레이트 힐!"

"그레이트 힐!"

플라워와 보조로 따라온 두 시녀가 힐을 퍼부었지만, 그럼에도 팔의 상처는 쉽게 아물지 않았다.

'역시 강기의 힘이 회복을 방해하는군.'

지금 내 회복력이 송편 버프로 800대에 도달했으니 망정이지 아니었으면 이 정도 수준의 힐링은 먹히지도 않았을 것이다.

파앗!

거듭된 힐링에 천마신공의 마기가 흩어진다. 나는 회복된 팔에서 실이 밀려 나오는 모습을 보며 말했다.

"신속하네. 수술 실력이 많이 좋아졌는데?"

"……폐하."

"어쩔 수 없다. 피할 수도 없는 일이야."

"……죄송합니다. 폐하께서 일부러 이러실 리가 없을 텐데."

약간은 붉어진 눈으로 피를 닦고 자리를 정리한다.

나는 무기 중 몇 개를 챙기며 생각했다.

'천지검은 통한다. 호신강기를 뚫는 걸 보면…… 강기랑 충돌할 때도 버틸 수 있을 거야.'

6층에 이른 차크라 능력, 경지를 아득히 넘어서는 스텟, 인문(人門)에 이른 무공 요소 등을 종합할 때 내 능력은 17~18레벨 정도 된다고 생각한다.

'경지도 경지지만 스텟이 워낙 높아. 히페리온 놈하고도 근력으로 붙으면 무조건 내가 이긴다.'

그러나 거기서 끝이 아니다.

내게는 로그인&로그아웃 능력과 신화 클래스가 있기 때문이다.

'결과적으로…… 내 레벨은 19레벨쯤 된다고 봐야 해.'

로그인&로그아웃은 상처 입는 그 즉시 회복하는 생존력을 선사한다. 내게는 플라워를 비롯한 사제들과 송편 버프까지 있으니 즉사하지만 않으면 완전히 회복할 수 있는 수준!

거기에 신화 클래스의 [초월지경] 특성과 직업스킬, [천지를 가르는 검]은 초월자에게도 통하는 공격 능력을 준다.

즉, 방어와 공격 모두에 보정이 붙는다는 말이다.

'심지어 천지검의 위력이 평소보다 훨씬 강하다.'

당연한 일이다. 일종의 범위기인 백인참이 아니라 단일기인 관월아와 조합했기 때문이다.

[천검-관월아(貫月牙)]
스킬 발동 시 1개체의 적에게 데미지 증폭 1000%(최종 데미지로 계산) 추가 적용. 방어, 회피, 반격 불가.

천지검 자체의 효과인지 아니면 관월아의 효과 때문인지는 몰라도 호신강기를 뚫었다. 거기에 최소 2격까지 탱킹을 해 줄 수 있는 강보람까지 있다.
'해볼 만한 싸움이다.'
"플라워. 잠시 출장이다."
"출장이라니, 언제 말입니까?"
"지금."

[천지를 가르는 검]
치명타 성공 시 [천지검] 스택이 저장된다. 이 스택은 일반적인 방법으로 감소하지 않으며, 스택이 100회까지 쌓일 시 스킬을 발동할 수 있다.
스킬 발동 시, 100회의 치명타 동안 적에게 가한 '총 데미지'로 적을 공격.
해당 적이 사망하면 남은 데미지로 10미터 이내의 다른 적을 공격. 해당 적 사망 시 다시 10미터 이내의 다른 적을 공격.
해당 효과는 총 데미지가 모두 소모될 때까지 반복된다.

천지검은 사기적인 범위 기술인 동시에 단일기다.

'이 막대한 데미지를 혼자 다 처맞으면 단일기고 못 버티고 죽으면 범위기지.'

그러나 그렇게 사기적인 기술이기에 당연히 제약이 있다.

치명타 스택.

'몬스터로 채워야 해.'

절대 고수가 코앞에 있는 지구에서 천지검 스택을 쌓을 수는 없었기에 플라워와 그녀가 선발한 사제 셋을 데리고 성을 나선다. 보급은 그녀들의 인벤토리와 랜드웜의 탑승 칸에 꽉꽉 채우는 것으로 해결했다.

[치명타!]

[치명타!]

[치명타!]

랜드웜을 타고 영맥을 따라 이동한다.

이번에는 지하가 아니라 지상으로 이동하며 몬스터가 보이는 대로 목을 쳤다. 이는 인류제국의 주변을 청소하는 의미도 있었다.

그리고 스택이 다 쌓이면 차크라 술식을 장전하고…….

"로그아웃."

[달빛 방어!]

[9:59]

방어를 깨부수며 들어오는 검강을 맞받아친다.

쾅!

폭음과 함께 히페리온의 몸이 밀려난다.

쿵! 쿵! 쿵! 쿵!

그러나 놀랍게도 고작 네 발짝 밀렸을 뿐이다. 킬로미터 단위로 튕겨 나가도 이상할 게 없는 공격이었는데 고작 네 걸음으로 그 모든 힘을 땅으로 흘려버린 것!

그러나 정작 황당해하는 것은 히페리온다.

"……뭐야. 밀릴 리가 없었는데. 이거 설마 근력으로 민 건가?"

"로그인."

뭐라 떠들든 상관하지 않고 아르데니아로 들어온다.

"폐하……! 팔이!"

"그래도 이번에는 잘리지는 않았어."

맞받아치는 충격을 버티지 못한 양팔이 박살이 난 상황.

그러나 아까처럼 강기에 당한 것은 아니어서 힐을 좀 받자 문제없이 회복한다.

"로그아웃."

"로그인."

필드를 돌아다니며 몬스터를 학살, 스택을 쌓고 지구로 넘어가 천지검을 날린다.

"우측 다리 절단! 좌측 정강이뼈도 부서졌습니다!"

"즉시 봉합한다! 왼쪽 다리뼈도 치료해!"

다칠 때마다 랜드웜의 조종석에서 수술을 받았음은 물론이다.

서걱!

검이 뼈를 베고 지나간다. 늘 있는 일이지만 지금 이 공격의 의미는 남다르다.

왜냐하면, 내 검이 드디어 녀석의 뼈를 베고 지나갔으니까!

"크윽! 이, 괴상한 놈이……!"

처음의 여유가 완전히 날아간 히페리온이 짐승처럼 으르렁거린다.

녀석이 반쯤 뜯어진 팔을 잡고 있다.

"너! 네놈! 시간 관련 능력을 가지고 있구나!"

"뭐, 역시 그렇게 보이려나."

내가 생각해도 검강에 성둥성둥 잘려나간 팔다리가 삽시간에 붙어 버리는 걸 단순 재생 능력이라고 우기는 건 말이 안 되는 소리긴 했다.

실제로 로그인&로그아웃 능력은 어느 정도 시간 관련 능력이라 해도 무방하기도 하고.

콰과광!

전투 와중에도 후방의 지원이 끝없이 이어진다. 온갖 주문과 포격. 저주와 저격이 쏟아지는 것!

원래대로라면 당할 이유가 없는 공격이지만 보람과 내게 발이 묶여 있는 히페리온은 기운을 일으켜 그것을 막아야 했다.

"버러지들이!"

쿠쾅!

히페리온이 원격에서 검강을 쏘아 냈지만 베이스캠프에서 일어난 거대 결계가 그것을 막아 낸다.

몇 대의 기가스가 어떤 설비를 둘러싸고 영자력을 쏟아 넣고 다시 그 기가스 뒤로 수백 명의 사람들이 마나를 쏟아 넣는 모습이 보인다.

사람들도 필사적이다. 아직까지 큰 피해가 없지만, 전세가 기울어지는 즉시 자신들이 몰살할 것이라는 사실을 알고 있기 때문이다.

"재연 씨! 2배 왜곡장 갑니다!"

내 등에 매달려 있던 태석의 말과 함께 몸에 반투명한 막이 씌워지자 세상이 느려진다. 일종의 가속 결계!

쾅!

그대로 돌진한다.

쩡!

"으윽……! 아파! 아프다고! 천마신공 개 짜증 나!"

그 순간 공격을 보람이 받아 낸다.

나와 달리 마나와 체력을 지속적으로 소모하는 그녀의 안색이 좋지 않지만, 초장거리에서 전해지는 치유 마법의 힘으로 최악으로 치닫지는 않는다.

"로그아웃."

그러나.

"로그인."

전투가 이어질수록, 육체에 부담이 쌓이기 시작한다.

"로그아…… 쿨럭!"

"폐하!"

"폐하! 괜찮으십니까!?"

플라워의 부축을 받아 좌석에 기댄다. 다시 한번 기침을 하자 내 입에서 검은 연기가 피어오른다.

목이 잘려도 재생할 정도의 재생력에 끝없는 힐링을 받는 환경에도 천마강기의 잠식을 완전히 씻어 낼 수가 없는 것이다.

"아, 송편 버프 40분이나 남았는데……."

안타까워하며.

그대로 정신을 잃었다.

* * *

전설 송편의 달빛 방어의 쿨타임은 10분. 송편 버프가 4시간 동안 유지된다는 걸 생각하면 이론상 전설 송편

하나당 24회의 달빛 방어를 발동시킬 수 있다.

그러나 당연히 그렇게 되지는 않는다.

'날리는 시간이 너무 많아.'

부상을 치료하는 시간, 100개의 치명타 스택을 쌓는 시간 때문에 10분에 한 번씩 지구로 가기는 불가능하다.

특히나 마지막 전투에서는 4시간의 버프 동안 단 4번만 지구에 갔을 뿐이다. 고작 네 합(合)밖에 못 나눴는데 전설 송편 하나가 날아갔다는 말.

내가 왜 이렇게 주절거리고 있냐면.

"송편이 하나밖에 안 남았네……."

인벤토리에 들어 있는 송편을 바라본다. 그러나 아무리 애타게 바라보아도 남은 전설 송편은 킬리언스칠칠의 인벤토리에 들어 있는 단 하나뿐으로, 나머지 부캐들의 인벤에는 희귀 · 영웅 송편만 수두룩하지 전설급은 보이지 않는다.

어쩌면 당연한 일이다.

이벤트 아이템이라 해도 전설은 전설. 거기에 추석 송편은 거래 불가 이벤트 아이템이니 아무리 열심히 주워도 확보에 한계가 있다.

"버터에 볶은 옥수수 볶음과 바짝 구운 헬하운드 스테이크. 이구아나 등심을 레반 선인장에 넣어 통째로 가열한 찜입니다."

"오, 음식들이 점점 좋아지는데."

"많은 조리사들이 연구하고 있습니다. 개인적으로도 멧돼지 고기를 벗어나서 실험할 보람이 있고요."

상다리가 부러지게 차려진 식사를 게 눈 감추듯 집어삼킨다.

'좋아. 이제 지방도 끼기 시작하는군.'

송편이 하나 남은 시점에 전투를 멈춘 난 불꽃성으로 돌아와 그대로 보름을 내리 쉬었다. 어차피 송편 버프가 없으면 싸우기 곤란한 상황이 아니던가?

악독하기 짝이 없는 천마기도 매일 수백 방의 힐링 샤워를 맞으며 먹고 자기만 하자 견디지 못하고 씻겨 나간 상황.

그야말로 만전의 컨디션이지만 로그아웃을 하기가 애매하다.

'달빛 방어 없이…… 버틸 수 있나?'

달빛 방어가 어마어마한 효과를 발휘하는 것은 아니다. 그것은 0.1초, 아니, 0.01초. 아니, 어쩌면 그보다 더 짧은 시간도 버티지 못하고 파괴되었으니까.

그러나 그 찰나의 시간이, 삶과 죽음을 가른다.

'없어.'

나는 냉정하게 판단했다. 그렇다. 불가능하다.

히페리온과의 전투가 서서히 우리의 우세로 이어지는 상황이지만, 이는 칼날 위를 걷는 듯한 위태로움 속에서 진행되고 있다.

보람이 한 번이라도 강기를 받아 내는 데 실패한다면?

히페리온이 우리의 방해를 뚫고 베이스캠프에 들어가 버린다면?

두 드래곤에게 묶여 있던 다크 메시아가 히페리온에게 버프라도 걸어 준다면?

내가 회복 불가능한 부상을 당한다면?

이 중 단 한 개만 현실이 되어도 지금까지의 우세는 몽땅 사라지고 우린 몰살당하고 말 것이다.

"방법을 마련하기는 해야 하는데……."

집무실에 앉아 생각한다.

"무공을 바꿔 볼까?"

내가 사용하는 무공은 정상적인 방식으로 체화(體化)시킨 것이 아니라 요소를 이용해 중립 마나를 진기화(眞氣化)한 것이라 내공심법을 교체하는 게 불가능한 일은 아니다. 적어도 2~3일의 시간이 걸리겠지만, 심법을 바꾸려면 기존 내공을 다 날려야 하는 다른 수련자들에 비하면 없는 것이나 다름없는 패널티.

그러나 이내 고개를 흔든다.

'아니, 22레벨 절대 고수의 공격에 반응할 수 있는 무공은 없어.'

물론 방법이 없는 건 아니다.

신화 스텟과 신화 스킬.

그중 신화 스텟은 스텟 초기화 포션을 사용하면 지금

당장이라도 도달할 수 있는 영역이다.

'하지만 안 돼. 900스텟을 찍을 수도 없고…… 아슬아슬하게 된다 해도 문제다.'

스텟 초기화 포션이야 이런저런 패키지에 끼워 팔아 80병도 넘게 있다.

하지만 한 스텟에 몰아넣으면 점점 효율이 안 높아지는 보너스 스텟의 특성상 초월 스텟을 하나 찍고 나면 나머지 스텟이 상대적으로 너무 낮은 상황에 처하고 만다.

'한 스텟만 높아서는 답이 없어.'

민첩이 900스텟을 넘어가면 히페리온의 공격을 정확히 파악할 수 있을 것이다. 그러나 그걸 피할 육체 능력이 없으면 다 무슨 소용이겠는가?

생명력이 900스텟을 넘어가면 검강을 맞아도 즉사하지는 않겠지. 그러나 스텟을 생명에 몰빵하면 가만히 서서 공격을 맞는 샌드백이 될 뿐이다.

사실 해결 방법은 간단하다.

그냥 깡으로 스텟을 더 올리면 된다.

'직업 숙련도, 클래스 각성, 장비 각인, 명성 개방…… 방법이야 여러 가지가 있겠지.'

신화 스킬 쪽은 더 간단하다.

호신강기(護身罡氣)(전설)를 호신강기(護身剛氣)(신화)로 승급시키면 끝.

'하…….'

절로 짜증이 난다.

'돈이 있어야 하지. 이 거지 같은……'

빨리 돈을 벌어야 하는데 망할 몬스터 놈들 때문에 현실 창구가 완전히 막혀 버렸다.

'다 옮겨 쓴 빛의 성서로 후원도 받고 공모전 작품들도 연재해야 하는데……!'

그러나 그 모든 것은 현실 상황을 해결하고 난 뒤에나 가능한 일.

나는 식사를 하는 중, 결국 결정을 내렸다.

"플라워."

"네, 폐하."

"명령을 전달해. 모든 용맥을 점령한다."

내 말에 플라워의 눈이 커진다.

"폐하, 송구합니다만……."

"알아. 위험한 일이지. 전력도 부족하고."

성을 차지하기는 쉽다. 나 혼자 날아가서 싹 다 쓸어버리면 그만이니까. 문제는 그렇게 차지한 땅을 지키는 데에 있다.

내 마음을 대변이라도 하듯 플라워가 입을 열었다.

"보고에 따르면 내륙의 세력이 점점 정리되고 있습니다. 온갖 무기를 다루는 외눈박이 거인, 카심과 같은 종으로 보이는 드레이크, 엄청난 거리를 날아다니는 와이번, 유령 군단, 블랙 오크, 범 무리, 그리고 스스로를 브라이트 혁명군이라 부르는 세력까지…….”

하나같이 영웅에서 전설급 몬스터들이다. 많아 보이지만, 리벤지의 착점 하나하나에 다 다른 몬스터가 있다는 걸 생각해 보면 엄청나게 추려진 상황이라 할 수 있겠지.

그리고 그렇게 추려지기까지 죽어라 싸운 녀석들은 서로가 만만치 않은 적이라는 사실을 알고 있다.

녀석들이 자기들끼리 싸우는 대신 외부로 진출을 시작한 것은 당연한 흐름이다.

“방어가 힘든 모양이네.”

“신화급 성을 끼고 있는 아이언 캐슬이나 전설급 성을 끼고 있는 북부 지방은 괜찮습니다. 하지만…… 빛의 성과 세계수의 성, 폭풍성의 경우는 몬스터 무리가 몰려오면 수십에서 수백의 사상자가 발생합니다.”

영웅에서 전설급 몬스터는 장난이 아니다.

영웅급 성이 아파트 단지에 가까운 규모를 자랑한다 해도 어떻게든 그것을 타고 오르거나 성문을 파괴할 수 있다.

아무리 방어 타워와 수성 오브젝트들이 있다 해도 녀석들을 막으려면 수많은 전사의 피와 땀이 필요한 것이다.

“하지만…… 그럼에도 해야 한다.”

8개의 화점을 차지하는 데 성공하면 내 차크라의 경지는 9층에 진입한다.

즉, 초월의 경지.

물론 깨달음 없이 도달한 9층은 반쪽짜리에 지나지 않겠지만, 그 정도만 되어도 강기 한 번을 버티는 것쯤은 충분히 가능하리라.

"그렇다면…… 즉시 전달하겠습니다."

지금 내 결정으로 많은 물자가 소모되고 또 많은 제국민이 죽어 나갈 것이다.

그러나 나는 황제.

그 모든 불합리를 찍어 누를 수 있는 존재다.

"위대하고 위대하신 황제 폐하께--! 경례!"

"충!"

상황은 빠르게 진행되었다.

인류 제국에서 가장 많은 인재와 물자를 보유한 아이언 캐슬에서 서진(西進)을 준비한다.

당연하지만 공성 준비가 아니다.

'공성은 내가 하니까.'

단 보름 만에 모든 준비가 끝났다. 썬더버드가 자리하고 있는 천둥산은 인류제국의 근거지라 할 수 있는 아이언 캐슬 바로 옆에 있는 화점.

거리로 쳐도 고작 600킬로미터밖에 떨어져 있지 않은 곳이니 그곳을 차지할 준비는 이미 알게 모르게 꽤 하고 있던 상태다.

나는 거기에 2차 원정군까지 구성했다.

"지원자 중심으로 편성해. 3개월 이상 성공적으로 성을 지키면 이민자들에게는 시민권과 클래스 카드를, 군인들에게는 전공을, 상단에게는 포상을 내리겠다고 전하고.”

인류 제국은 어마어마한 부를 품고 있는 나라였고, 그 부의 1/3 이상이 황제인 나에게 귀속되어 있었다.

내가 탐욕스러운 황제여서 그런 게 아니라 제국의 부 대부분이 내 손에서 쏟아져 나온 것이기에 그렇다. 클래스 카드를 수여 받는 대신 상납한 명예 코인과 몬스터를 쓸어버리며 얻은 드랍 템, 중간 중간 처분한 펫과 수호령, 송편, 멧돼지 고기 등등.

그러나 가장 막대한 재화는 재투자에서 나왔다.

나는 제국민들이 던전을 뺑뺑 돌며 쌓이는 골드를 모조리 흡수했으며, 그렇게 흡수한 골드를 주식의 힘으로 불러낸 상점에서 모조리 써 버렸다.

수백만 점의 스킬 북, 호수를 만들 정도의 포션과 용해제 등등.

나는 골드가 쌓여 인플레이션이 일어날 기미가 있을 때마다 그것들을 풀었고 그것은 고스란히 수익이 되어 내게 돌아왔다.

이제 와서는 내 인벤토리에 쌓인 골드만 해도 10조가 넘었을 지경이다.

“이제 준비가…… 아, 빼먹을 뻔했군.”

나는 싸우러 출발하기 전 공지 하나를 퍼트렸다.

[제1회 제국 문학제에 작품을 보내 준 수많은 지원자에게 감사의 말을 전한다. 이는 인류 제국을 풍성하게 할 문화의 씨앗이자 내 권능을 회복시킬 연료이기도 하다.

현재까지 총 5,107작품이 투고되었고, 그중 811작품이 예선을 통과했다.

그러나 유감스럽게도 나는 공모전을 1년 연장하고자 한다.

이는 내가 직접 모든 작품을 읽고 평가하기 위함이나. 당장 그것을 했으면 좋겠지만 잦은 업무와 전투로 상황이 여의치 않게 되었기 때문이다.]

만약 지구의 공모전에서 이딴 공지를 올렸으면 사이트가 터져 나갔을 것이다. 미치지 않고서야 기한을 정한 공모전을 1년이나 미루는 게 말이나 될 법한 일인가? 온갖 패드립이 해일처럼 몰아치고 어쩌면 고소 · 고발도 있겠지.

그러나 인류 제국은 다르다.

“폐하께서…… 폐하께서 직접 읽으신단 말인가?”

“폐하께서 내 글을 읽어 주시겠다니!”

“다시! 다시 쓰자. 1년…… 시간이 다시 생겨서 다행이야!”

놀라울 정도로 불만이 없었다. 더군다나 공지는 그게 끝이 아니었다.

[그리고 문학제가 끝나고 6개월 후, 즉 제국력 3년 8월 15일. 제1차 제국 음악제를 시작하겠다. 상품은 문학제와 같으며 상세 조건은……]

일을 더 벌였다.
'가수는 별 쓸모없어. 중요한 건 작곡이다.'
돈이 너무 부족하다. 인류 제국에서 뽑아낼 수 있는 모든 것을 뽑아내야만 한다.
물론 그 모든 것은.
지구의 적을 해치워야 가능한 일일 것이다.

[한재연 님이 옥좌에 각인을 시도 중입니다!]
[축하합니다! 한 길드가 천둥산을 점령했습니다!]
[새로운 성주. 한재연.]

오랫동안 인류 제국을 이웃하고 있던 썬더버드의 군세가 무너진다. 마냥 좋은 일은 아니다. 녀석이 차지하고 있던 던전들이 초기화된 만큼 녀석에게 가로막혀 있던 영웅&전설급 몬스터들이 북상하게 될 테니까.
쿠구궁!
"뚫고 있다! 빛이야!"
"차분히 올라간다! 전열 전진!"
랜드웜이 뚫어 준 길을 통해 수천의 군세가 일사불란하

게 움직인다. 나는 영웅급으로 업그레이드된 성에 병사들이 자리 잡는 걸 확인한 후 서쪽으로 움직였다.

내가 뚫는 지하도로를 군대가 뒤따른다.

상변화점의 썬더버드(Thunderbird).

좌상화점의 칠색오공(七色蜈蚣).

이로써 바둑판 상단의 화점 3개를 점령했다. 예전부터 할 수 있던, 그러나 소화하기 어려워 미뤄 두었던 목표.

그리고 그 결과 7개의 화점에 바둑돌이 놓인다.

“이것이…… 8층…….”

내면세계가 끝도 없이 넓어지는 것이 느껴진다. 아직 능숙하지 않은 요소들도 한 동작의 수인조차 없이 발동할 수 있게 되었다.

내공이 한 10갑자(600년) 정도 있으면 동호회 정도의 검술 실력으로도 절정 고수를 쳐죽일 수 있듯, 기본 역량이 너무나 올라가자 차크라 능력이 완전히 다른 영역에 도달한다.

그리고 그 상태에서 마지막 화점에 도달했다.

쾅!

[크오오오오―――!]

대지를 부수며 튀어나온 랜드웜이 포효한다.

그러나 녀석은 이내 입을 다물었다.

[시끄럽네.]

아무런 소리도 없이, 녀석보다 몇 곱절은 거대한 랜드웜이 녀석을 내려다보고 있었기 때문이다.

성숙기(전설)

랜드웜

[너…… 는…… 누…… 구…….]

"아, 저 말투 추억이네."

[시끄러. 이 흑역사는 내가 직접 치운다.]

그렇게 완전체(신화)가 자신의 과거를 정리하고.

마침내…… 무량구층이 완성되었다.

"후우우……."

깊게 심호흡한다. 차크라 능력이 9층에 이르렀다 해도 표면적으로 뭔가 바뀌거나 하지는 않았다.

스텟이 늘어난 것도 아니고 뭔가 무시무시한 기세가 흘러나오지도 않는다.

그러나 그럼에도.

달라졌다.

"어이가 없군."

눈을 감으면 광활한 내면세계가 펼쳐진다.

"가늠이 안 돼. 내 힘인데 이게 말이 되나."

방의 형태였던 내면세계는 지평선이 보일 정도로 넓은

평원이 되었다.

이 모든 것이 상징이라는 사실을 생각해 보면 내 차크라의 한계치와 정신력이 미친 듯 증가했다는 뜻이다.

차크라의 층은 무공의 내공이나 마법의 마력 같은 능력의 밑바탕. 깨달음이 없더라도 지금 내 전력은 전과 차원이 다르단 의미였다.

나는 마검왕 히페리온과의 전투에 대해 생각했다.

'지금 제일 쉬운 길은…… 랜드웜을 소환하는 거다.'

그러나 그럴 수는 없다. 당연한 것이 게임의 몬스터가 현실에서 쳐들어오는 상황이 아닌가? 수많은 눈과 카메라가 지켜보는 상황에서 녀석을 소환했다간 무슨 소리를 들을지 모른다. 최악의 경우 3마리의 초월급 몬스터와 도매급으로 묶일 위험도 존재했다.

진실의 사제에게 변호를 잘하면 잡혀 가는 일은 없겠지만 여러모로 귀찮아질 것이다.

"크르르…… 컹! 컹!"

그때 활짝 열어 둔 서문을 통해 개머리를 한 이족 보행 몬스터, 사막 놀(고급~영웅) 수백 마리가 몰려온다. 기동성을 중시한 듯 경무장을 한 녀석들은 텅 비어 있는 성의 모습에 당황해 멈칫거렸지만, 이내 본능에 따라 성의 중앙으로 달리기 시작했다.

"계속 같은 패턴으로 쳐들어오네. 아무리 죽으면 기억이 지워진다 해도 보내는 족족 죽는데 달라지는 게 없다니……."

몬스터들은 본능적으로 자신의 영역을 늘리길 원했으며 누가 가르쳐 주지 않아도 공성전을 신청할 수 있어 서로의 영역을 빼앗기 위해 병력을 보낸다.

그리고 그들이 일반적인 착점보다 더 끌리는 목표물이 바로 화점. 서문으로 몰려오는 놀 부대와 거의 동시에 남문을 넘어선 샌드골렘(고급~영웅)이 바로 그 증거이다.

심지어 그게 끝도 아니다.

카가각! 가각!

돌로 된 바닥을 시끄럽게 긁으며 신장이 1.5미터가 넘는 대형 전갈들이 북문을 넘어서고 있다.

자이언트 스콜피온(고급~영웅)이다.

"꿀이라도 바른 듯 몰려오는군."

나는 영주성 지붕에 앉아 그 모습을 내려다보았다. 신나서 달려오던 놀들이 불현듯 발걸음을 멈추고 멈칫거린다. 녀석들이 코를 허공에 들고 킁킁거리는 모습이 보인다.

그러나 이미 늦었다.

콰광!

"깨깽!"

외마디 개소리와 함께 자이언트 스콜피온이 놈을 덮친다.

똑같이 고급에서 영웅 등급의 몬스터라 해도 자이언트 스콜피온은 바둑판에서 놀보다 한 칸 더 안쪽에 자리하고 있다. 평균 레벨이 높다는 뜻이니, 다소의 피해가 있긴 해도 결국 놀을 몰살시키고 승리를 거머쥐는 게 당연한 일.

그러나 그들도 승리로 전투를 끝마치지 못했다.

좌르륵!

모래바람이 일어나며 샌드골렘이 자이언트 스콜피온을 습격한다. 좌변화점의 북쪽과 남쪽에 있는 녀석들은 같은 등급. 같은 레벨대의 몬스터임에도 전황이 일방적으로 흘러갔다.

'상성이 좋지 않지.'

자이언트 스콜피언의 최대 무기인 독침은 샌드골렘에게 전혀 통하지 않는다.

당연한 것이 생명체도 아닌 모래 거인한테 독침이 무슨 소용이겠는가?

같은 등급이더라도, 혹은 등급이 더 높아도 상성에 따라 승리하고 패배할 수 있으니 이는 내륙의 몬스터들이 쉽게 통일되지 않는 이유이기도 하다.

"이 꼴을 보는 것도 벌써 14번째인가……."

나는 랜드웜을 잡은 후 좌변화점에 머무르고 있는 상태였다. 다른 사람은 없다. 성을 업그레이드하지도 않고 나 혼자 지키고 있는 상황.

'어쩔 수 없는 일이다.'

인류 제국의 인력에는 한계가 있다. 불꽃 성이야 100

만 명이나 되던 신성제국의 난민 중 일부를 받아들이며 어느 정도 해결했지만, 나머지 성들은 오직 제국의 역량을 소모하는 수밖에 없었기 때문이다.

쳐들어오는 몬스터의 등급이 점점 높아지고 있으니 피해를 줄이려면 성 하나쯤은 이렇게 운용하는 수밖에 없다.

물론, 그 하나의 성이 굳이 여기인 이유는 따로 있다.

"크아아앙!"

"왔구만."

좌변화점에 마지막 난입자가 도착한다. 지금 성 안에 남아 있는 세 종류의 몬스터와는 차원이 다른 존재.

드레이크(Drake).

드래곤과 가장 닮은 최상위 아룡족이자 어마어마한 마력 적성과 용종 특유의 강력한 신체 능력을 가진 괴물. 아르데니아 내륙의 착점을 11개나 차지하고 있는 골칫덩이다.

'수성 입장에서는 최악의 몬스터지.'

드레이크는 강함 그 자체도 문제지만 그보다 더 큰 문제는 기동력이다. 한 번 몰살시키면 짧게는 백 킬로, 길게는 수백 킬로미터를 걸어와야 하는 다른 몬스터들과 달리 이 하늘의 제왕들은 리젠 즉시 날아와 버리는 것!

성벽 하나 믿고 몬스터들에게 대항해야 하는 인류제국의 병사들에게 그야말로 재앙 같은 존재다.

푸확!

가장 먼저 날아온 드레이크가 브레스를 뿜었다. 카심의 신성 포효와는 비교조차 할 수 없는 저열한 숨결이지만 그것만으로도 성에서 싸우고 있던 세 무리의 몬스터가 죄다 쓸려 나간다.

나는 그 모습을 가만히 보고 있다가.

쿵.

뛰었다.

[치명타!]

토끼발 망치에 얻어맞은 머리가 튕겨 올라가며 드레이크의 목이 부러질 듯 휘었다. 정신을 잃은 녀석이 속절없이 추락했지만, 중요한 건 녀석이 죽지 않았다는 사실이었다.

“아, 역시 전설쯤 되니까 튼튼한데.”

그러나 굳이 추격해서 추가타를 날리지는 않았다. 그럴 필요가 없기 때문이다.

쩍!

추락하고 있던 드레이크의 머리통이 터져 나간다. 전설급 패시브 스킬, 쉐도우 트와이스의 힘이다.

훙!

바람의 차크라가 일어나 떨어지던 몸을 받아 든다. 그

리고 그 상태 그대로 나를 향해 몰려드는 드레이크에게 마주 덤빈다.

[치명타!]
[치명타!]
[치명타!]

하늘을 날아다니며 성에 쳐들어온 드레이크의 머리를 박살 낸다.

전투는 약 2시간 만에 드레이크의 전멸로 끝났다. 백인참&천지검을 썼다면 훨씬 빨랐겠지만 그건 지구에서 써야 한다.

"점점 감이 잡히는군."

요소를 적극적으로 써 가며 9층에 도달한 차크라 능력을 점검한다.

능력의 상승은 실로 드라마틱하다.

"깨달음이 부족한데도 이 정도라니……."

마음 같아서는 몇 달이고 수련하고 싶다.

차크라 역량을 계속 키우고 참격, 투척, 신체 등의 요소를 더 깊이 이해하고 싶다.

요소를 늘리고 그 요소들 간의 조합을 연구하여 술식을 잔뜩 늘려 보고 싶기도 했다.

'하지만 안 돼.'

일종의 타임 어택이다. 8개의 화점을 점령한 것은 인류 제국의 역량을 넘어서는 일.

이 순간에도 몬스터들이 화점으로 몰려들고 있으니, 돌이킬 수 없는 피해가 쌓이기 전에 현실 상황을 정리하고 돈을 벌어 화점의 성들을 신화, 못해도 전설급으로 승급시켜야 한다.

"송편은……."

나는 단 하나 남은 전설 송편을 바라보다 고개를 저었다.

"무량구층에 도달하고 일격도 못 버틸 정도면 그냥 자살해야지."

여기저기 아이템이 쌓여 있는 영주성 지붕에 앉아 수인을 맺는다.

98수(手), 시간으로 치면 17분 28초가 걸린다.

차크라의 경지가 무량구층을 완성했음에도 술식 수련도가 너무나 부족해 벌어진 참사다. 지속형 결계도 아닌데 술식 발현에 이 정도 시간이 걸리면 실전에서 쓰는 것은 절대로 불가능!

"로그아웃."

뭐, 남들은 그렇다는 이야기다.

[천검-관월아(貫月牙)]

[천지를 가르는 검]

쩌엉!

검과 검이 충돌한다. 밀린 것은 히페리온 쪽. 나와 그의 경지는 그야말로 차원이 다르지만 신화급 직업 스킬 천지검의 힘으로 검강을 대체하는 이상 검과 검이 충돌하면 완력의 차이를 절대 무시할 수 없다.

그리고 녀석이 재차 공격을 가하면.

"어림없어!"

보람이 그 앞을 막아선다. 폭음과 함께 결계가 박살 났지만, 그럼에도 완벽하게 막힌 공격에 히페리온의 얼굴이 흉신악살처럼 일그러진다.

"버러지들이……!"

전투 예지가 작동한다. 초월의 경지에 이르러 잘 보이지 않는 검강과 달리 명확히 보이는 내 죽음.

'막아 낸다!'

냉기(冷氣). 광(光). 목(木). 풍(風). 화(火). 토(土). 독(毒). 뇌(雷).

현문(賢門). 개방(開放).

속성방벽(屬性防壁). 8중첩(八重疊).

미리 완성시킨 술식이 정면을 가로막는다.

카가각!

히페리온의 검강이 단번에 방벽을 부수고 들어온다. 살

벌한 기세였지만 히페리온의 얼굴은 시체처럼 창백하다.
"이게, 무슨?"
지금까지와 달리, 이번 검격은 내 사지를 자르기는커녕 스치지도 못한다.
동시에 드러난 빈틈!
"로그인."
……이 보이더라도 일단 아르데니아로 돌아온다.
"우웩!"
그리고 그대로 피를 토했다.
긴 시간과 노력을 기울여 짜 낸 술식이 한 번에 파괴되자 내상을 입었다. 가벼운 부상이 아니지만, 지금까지의 상황을 생각하면 웃음만 나온다.

[무지개 송편(영웅)을 섭취하였습니다! 4시간 동안 회복력과 마나 회복력이 300포인트 증가합니다! 특수 사원 회복력이 5배 증가합니다!]

"후우……."
송편을 먹고 한 시간쯤 쉬니 만전의 상태가 되었다. 힐링조차 필요 없다.
"좋군."
내 요소에 대한 이해는 전혀 깊어지지 않았다. 무공만 해도 내공량과 초식의 숙련도는 별개이듯 쌓아 가는 무량구층과 깊이 파고드는 현기팔문은 다른 영역의 문제니까.

그러나 나는 굳이 요소를 깊이 할 필요가 없다고 생각했다. 그냥 있는 걸 다 때려 박으면 그만이라고 판단했기 때문이다.

그리고 내 생각이 맞았다.

"그럼 다시 스택을 쌓아야 할 때군. 카심!"

나는 성에 쳐들어왔던 드레이크들보다 곱절은 큰 백색의 드레이크에 타고 하늘을 날아올랐다. 하늘에서 내려다보니 다행히 주변에 몬스터 무리는 없는 상황.

한 번 크게 쓸어 버렸으니 다시 공격이 들어오려면 적어도 하루 이틀 정도의 시간은 필요하리라.

"미안해, 카심. 널 좀 죽이러 가야겠다."

나는 내면세계로 들어가 바둑판을 확인. 드레이크들의 근거지를 확인한 뒤 단번에 쳐들어가 던전의 보스인 [포효하는 드레이크 카심(전설)]을 해치웠다.

녀석이 차지하고 있던 11개의 착점이 초기화되었으니 한동안 주변을 날아다니며 피해를 끼치지 못하리라. 어쩌면 다른 몬스터의 공격을 받아 드레이크라는 종이 사라질 수도 있고.

"좋아. 준비가 끝났군."

내가 챙기고, 랜드웜 녀석에게 먹이고도 남은 아이템들을 드레이크의 착점을 지나는 지하도로에 던져 놓는다.

나중에 수거조가 알아서 회수할 것이다.

"로그아웃."

차분히 술식을 완성한 난 지구로 돌아감과 동시에 검을 내질렀다. 자세가 무너져 있던 히페리온은 그것을 호신강기로 막으려 들었지만.

[천검-관월아(貫月牙)]

[천지를 가르는 검]

굉음과 함께 호신강기가 깨지고…….

냉기(冷氣). 광(光). 목(木). 풍(風). 화(火). 토(土). 독(毒). 뇌(雷).

현문(賢門). 개방(開放).

속성공격(屬性攻擊). 8중첩(八重疊).

쩡! 퍽!

"……."

"……."

"……."

한순간 소란스럽던 전장에 침묵이 내려앉는다. 나는 어느새 내 어깨를 반쯤 파고 들어온 흑검을 보면서도 웃었다.

"끝."

어깨가 쪼개진 나와 달리, 히페리온은 심장이 쪼개졌다.
"……너, 대체, 무슨?"
히페리온이 이해가 안 된다는 표정으로 나를 보았다. 하기야 황당할 것이다. 일검(一劍)이면 충분하리라 생각했던 내게 죽게 되리라고는 상상하지 못했겠지.

[히페리온 이 멍청한……! 하지만 상관없다! 어차피 이 용종 놈들만 처리하면 끝이야! 세 개의 명부(名簿)!]

악쓰는 소리와 함께 다크 메시아가 단검으로 자신의 목을 찌른다.
'아니, 또 10턴까지 놔뒀다고?'
기겁하는 순간.

[장막 속 인형극.]

허공에 작은 무대가 모습을 드러낸다. 그 안에는 12개의 인형이 있었는데 거기에 녹색과 백색의 드래곤의 형상을 한 인형이 추가되어 총 14개의 인형이 늘어선다.
촤륵!
무대에 커튼이 쳐지고.
서걱.
개중 세 개의 머리가 땅에 떨어진다. 다시 커튼이 쳐졌을 때 다행히 드래곤 인형들은 무사히 살아남았다.

"네가 뭔 법칙으로 움직이는지는 모르겠는데."

화이트 드래곤 스노우가 차가운 목소리로 말했다.

"그걸 또 당해 줄 거라고 믿다니 어이가 없군."

"이런, 그그륵!"

결국 혼자 자살한 다크 메시아가 쓰러지고.

"꼴이…… 우습게 되었군."

히페리온 역시 숨을 거뒀다.

털썩!

나 역시 바닥에 쓰러진다. 이번에는 굳이 로그인하지 않았다. 이미 히페리온은 죽어 버린데다가 지금 아르데니아에는 날 수술해 줄 의사도 없는 상황이었기 때문이다.

콰콰광!

쿠구구……!

저 멀리에서는 망령룡이 두 드래곤에게 몰매를 맞는 상황. 그리고 그때였다.

포로롱.

흐릿해 잘 보이지 않는 까치 한 마리가 내 몸에 박힌 검에 앉는다.

"와, 이 녀석 살아 있었군……."

녀석은 희귀급 펫인 그림자 까치 샤샤샤. 적당한 거리에서 아이템을 줍고 다니느라고 전투의 후폭풍에도 무사한 모양이었다.

"아니 잠깐. 앉으면 내 어깨에 앉아야지 왜 칼에……."

의아해하는 순간.

팟!

히페리온의 검이, 사라졌다.

"……?"

잠시 상황 파악을 못하고 멍하니 있던 사이, 검이 사라진 상처에서 피가 쏟아진다.

촤악!

"피가……!"

"뭐야. 왜 회복이 안 돼?"

"내가 뒤로 뺄게."

내 등에 매달려 이런저런 버프를 걸어 주던 태석의 말과 함께 베이스캠프로 이동된다. 연신 포격을 날리고 있는 기가스들의 다리 사이로 한 사내가 달려온다.

뜻밖에도 아는 얼굴이다.

"토마스…… 중위님?"

"전역한 지 1년도 넘었다. 그동안 대체 뭔 일이 있었길래 강기를 맞을 정도로 출세했어?"

우웅!

염동력이 발휘돼 잘려 나간 근육과 신경을 정확히 연결한다. 토마스는 그 상태에서 치유 마법을 쏟아 내 강기의 여파를 날리고 부상을 회복시켰다.

서서히 회복되는 상처를 보며 토마스가 눈을 휘둥그레

떴다.

“아니 강기 상흔이 이렇게 빨리 치료될 수가 있나? 애초에 거의 트롤이구만.”

“왜 하필 트롤이에요. 거인족이나 신족 좋은 거 많은데.”

“트롤 차별하지 마라. 내가 살던 문명에서는 트롤도 지성종이었거든?”

영양가 없는 대화를 하며 상처의 치유를 기다린다.

그리고 어느 정도 팔에 감각이 돌아왔을 즈음.

“로그인.”

아르데니아로 들어간다.

“후…….”

[이번에는 안 다쳤군.]

“아, 내가 소리 내고 들어갔나.”

나는 조종석에 등을 기댔다. 절단된 어깨 근육에서 미미한 통증이 느껴졌지만 적어도 출혈은 없으니 시간이 지나면 회복될 것이다.

[지금은 청소할 사람도 없어. 내 머릿속을 더럽히지 마.]

“머릿속은 무슨…….”

투덜거리며 인벤토리를 열어, 가장 궁금한 것을 꺼냈다.

[마검. 히페리온(22레벨)]
물리 계수 6.2
마나 계수 7.3
[황도 12궁(黃道十二宮)(에픽)]
[마검혼(魔劍魂)(에픽)]
[비어 있음]. [비어 있음]. [비어 있음]. [비어 있음]. [비어 있음].

"와, 진짜로……."

블레이드&매직에는 무기 공격력이라는 게 없다. 대신 계수라는 게 존재하는데 물리 계수 6.2면 물리 데미지가 근력 대비 6배 증가한다는 소리다.

이것만 해도 미친 수준인데.

"와, 에픽 특성 2개에 소켓이 다섯 개나 뚫려 있네……."

사실 히페리온은 드랍 아이템이 아니다.

정확히 말하자면 실력 갓겜 블레이드&매직에는 드랍이라는 개념 자체가 없다.

'왜냐면 블레이드&매직은 AOS(Aeon of Strife) 게임이니까.'

전투 중 벌어들인 골드나 전공으로 아이템을 구매하는 게임이니 몬스터 드랍을 기대할 수가 없다. 하물며 이 마검은 스토리 모드의 최종 보스가 사용하는 일종의 전용 무기가 아닌가?

그런데 그걸 이런 식으로 얻게 된다니…….

'이건 신화급 무기나 다름없다. 아니, 어쩌면 그 이상.'

나는 히페리온의 특성을 확인했다.

[황도 12궁(黃道十二宮)(에픽)]

적 챔피언(1), 혹은 엘리트(0.1)이나 보스(0.5)를 처치할 때마다 별자리가 활성화된다.

[마검혼(魔劍魂)(에픽)]

공격 시 등 뒤로 마검혼이 구현되어 방어나 공격을 수행한다.

사실 직관적인 능력들은 아니었다.

블레이드&매직의 특성 설명은 조금 더 상세한 편인데 몬스터 전용 아이템이라 그런 모양.

'뭐, 에픽인데 대충 사기겠지. 실제로 게임 내에서 스킬을 쓰니 구현도 되어 있을 테고.'

중요한 건 겨우 2개밖에 안 되는 특성이 아니다.

다섯 개의 소켓이지.

"어디 보자."

인벤토리에 손을 대 히페리온을 꺼내 든다.

그리고 그 순간.

나는 어둠 속에 있었다.

[아하하하하! 어리석고 멍청해! 하찮은 필멸자들은 왜 항상 힘에 대한 욕망을 이기지 못할까?]

드레스를 입은 작은 소녀가 내 앞에서 박장대소하고 있다. 나는 깜짝 놀랐다.

"뭐야. 설마 정신계 능력에 당한 건가?"

내가 가진 폐급 마나 적성은 실로 저주스러운 굴레였지만, 굳이 찾아보자면 장점이 아예 없는 것은 아니었다.

무식한 귀신이 부적을 몰라보는 법.

나는 영적인 자극이나 간섭에 거의 면역이었다. 장님이 섬광탄에 당하지 않는 것과 같은 원리로, 8클래스 마법사였던 드림워커 학파의 학파장 브람 위저드의 마법을 맞고도 무사했던 것 역시 같은 이유.

[너 제법 태평하구나? 상황 파악이 안 돼?]

"파악이 어려울 정도로 복잡한 상황은 아니지. 네가 그 정도가 된다는 게 신기할 뿐. 직접 접촉하고 있어서 가능한 건가……."

[뭐?]

그러나 '거의 면역'이라는 말은 완전 면역은 아니라는 뜻이기도 하다.

실제로 다른 문명에서는 영원히 영능을 각성할 일이 없어야 했던 난, 34지구의 거대 설비를 통해 입문자 수준이나마 내공을 다룰 수 있었다.

국민 MC 강보람을 마법 소녀로 만든 황금용신의 '주제

곡'은 나에게도 인식되었다.

"대단할 것도 없는 상황이잖아. 그냥 내면세계로 끌려온 정도 아닌가? 히페리온?"

[…….]

잠시 멍한 표정으로 나를 바라보던 드레스를 입은 소녀의 얼굴이 비정상적인 각도로 뒤틀린다.

[아, 아하하하! 아하하하! 깔깔깔!]

자그마하던 소녀의 모습이 삽시간에 확대된다.

[버러지 같은 필멸자가 주제도 모르고 입을 놀리는구나! 검성의 경지에 이르렀던 혁준도 이곳에서 객기를 부리지는 못했거늘--!]

쿠-구-구-구!

하늘처럼 거대한 괴물이 분노하여 포효한다.

코웃음이 나올 뿐이다.

"이곳이라면 결국 내면세계 아니냐?"

그리고 내면세계는.

차크라 능력자의 근본이다.

훅!

현실로 돌아온다. 자신만만했던 태도와 달리 히페리온은 그것을 막지 못했다.

"참내, 별…… 하기야 마검이니 당연하겠구나."

1.6미터의 길이의 한 손으로도 양손으로도 쓸 수 있는 바스타드 소드. 검신부터 손잡이까지 다른 어떤 색도 첨

가되지 않은 완벽한 흑색으로 절묘한 무게 중심과 예술품에 가까운 외형은 절로 감탄이 나올 정도다.

훙! 훙훙! 파앙!

몇 번 휘둘러보자 바람이 갈라지는 소리가 서늘하다.

검집이 없다는 게 아쉽지만, 그거야 인벤토리에 보관하면 그만. 그리고 그렇게 검을 살피고 있을 즈음 혼란에 빠진 목소리가 들린다.

[이게 뭐야? 여기 어디야? 뭐가 어떻게 된 거지?]

"아, 그러고 보니 목소리는 전달을 할 수 있구나. 일단 음소거 걸고…… 시간 배율을 좀 돌려야겠다. 1,000배…… 안 되네. 133배 정도가 한계인가."

차크라의 경지가 9층에 이르고, 나는 내면세계를 더욱 다양하고 완벽하게 통제할 수 있게 되었다.

'눈 감으면 내면세계. 뜨면 현실인 나를 내면세계로 납치하다니…….'

절대 고수인 히페리온의 손에 들려 있다 풀려나니 제 세상인 줄 안 모양인데.

절대 고수의 정신력이 아무리 강해도 정신세계에서 구층 차크라 수련자한테 비빌 정도는 아니다.

"소켓부터 확인해야지. 아…… 이게 아르데니아 아이템으로도 돼야 할 텐데."

나는 인벤토리를 뒤져 아이템 하나를 꺼냈다.

[아렌의 지팡이(희귀)+9]
9강화를 하면 특수 효과 소울 콜렉트(상급)가 활성화되는 법사용 지팡이.

나는 그것을 히페리온에 가져갔다.
딸깍.
뭔가 끼우는 소리와 함께 지팡이가 사라진다.

[소울 콜렉터(상급)], [비어 있음], [비어 있음], [비어 있음], [비어 있음]

"……된다."
아이템 소켓(item socket).
하위 아이템을 소켓에 넣어 그 특성을 적용시킬 수 있는 시스템이다. 블레이드&매직에서는 더 이상 상위 템이 없는 아이템을 소켓에 넣어 재활용하곤 했다. 그럴 일은 절대 없겠지만 히페리온을 다른 아이템에 소켓으로 박는다면 [황도십이궁]이나 [마검혼] 중 하나가 박히는 방식이다.
"이거 종류를 잘 고르면 거의 밸런스 붕괴급 조합이 나올 것 같은데……."
블레이드&매직의 아이템 특성은 소켓에 들어갔을 때를 가정하고 밸런스를 맞춰 놓았다. 강력한 조합법은 있을 수 있어도 말도 안 되는 조합은 있을 수 없는 것!

그러나 막대한 재화를 소모해 9강화를 해야 활성화되는 아르데니아의 아이템 특성은 다르다.

'검신 클래스의 [신검합일(身劍合一)] 특성이 괜히 개사기라 불리겠어? 주무기 특수 효과가 다수 붙으면…….'

거기까지 생각하다 멈칫한다.

"……어?"

[왜 그래? 아, 전방에 늑대 무리다.]

슬쩍 전방을 보니 소형차만 한 덩치의 늑대 무리가 보인다. 털이 암석으로 이루어진 기간틱 울프(Gigantic Wolf).

녀석들은 시속 200킬로미터의 속도로 지상을 질주하는 랜드웜의 모습에 도망조차 못 치고 얼어붙어 있다.

"대충 치고 지나가자."

[몰살시켜?]

"뭐, 그렇게까지야. 살아난 놈들은 놔두고 가."

그렇게 말하며 시스템 UI를 조작해 적용 중인 버프를 확인했다.

……[금빛 중첩], [금빛 중첩], [금빛 중첩]. [소울 콜렉터(상급)], [소울 콜렉터(상급)] ……

금빛 중첩은 전설급 행운 장비를 9강하면 붙는 특수 효과다. 전설 장비 드랍률 두 배 증가 기능을 지닌 특수 효과로, 스페셜 보스들을 잡았을 때 전설 아이템이 드랍될 수 있었던 효자 효과.

지금 내가 걸치고 있는 상의 하의 모자 장갑 신발이 다 전설 9강 행운 셋이니 여러 개 붙어 있는 게 당연한 버프.

그러나 소울 콜렉터는 다르다.

“와, 진짜.”

절로 감탄이 나온다.

“진짜 적용이 된다고?”

[신검합일]

장비한 검의 공격력만큼 공격력이 추가로 증가한다. 장비한 검의 부가 효과 역시 추가로 적용된다. (일부 효과의 경우 적용되지 않는다.)

리벤지 랭킹 1위. 검신 마도지존은 검신 클래스를 얻자 신화 스킬이나 신화 펫 등을 미루고 신화 무기부터 맞췄다.

그럼 그다음에는 뭘 맞췄을까?

‘다른 용도의 신화 무기를 맞췄다.’

그만큼 검신 클래스는 들고 있는 무기에 강한 영향을 받는다. 신검합일의 효과는 너무 사기라서 나머지 장비다 합친 것만큼이나 검의 효과가 중요한 것!

그리고 그 [효과]에서 가장 중요한 게 바로 9강화 시의 특수 효과인데.

'그런데 그게 다섯 개?'

물론 히페리온에는 공격력이 없다는 단점이 있지만 버프 창의 상황은 좀 다르다.

[물리 계수 12.4]

[마나 계수 14.6]

'계수가 [부가 효과]로 인식되어 중첩 적용된다고?'

그야말로 미친 소리였다.

"와…… 이, 이거 히페리온하고 다시 싸우면 혼자서도 10분은 비비는 거 아닌가?"

특성 조합을 잘하면 20분도 비빌지 모른다.

심지어 어디에서 다른 신화 무기를 구해 소켓 다섯 개를 다 신화급으로 채우게 된다면.

농담이 아니다.

이 검은 대우주급 장비인 [초월 병기]에 준하는 성능을 뽑아낼지도 모른다.

[으아아아——!]

"오?"

난데없이 들리는 비명에 멈칫한다.

목소리는 금세 사라졌지만, 그 목소리는 분명 히페리온의 것.

그대로 눈을 감는다.

[나와! 나오라고! 죽여 버리겠어. 죽여 버리겠어. 죽여 버리겠어. 죽여 버리겠어. 죽여 버리겠어!]

"아직 기운이 넘치네."

[너! 너! 이 버러지 같은 인…….]

"격리."

내면세계를 분리해 녀석의 모습을 지워 버린다.

예전에는 꿈도 못 꾸던 응용인데, 9층에 도달하고 나니 숨 쉬듯 간단하다.

"어디 보자…… 와. 이 녀석 보통 난리가 아니었네."

잠시간의 명상 결과, 나는 히페리온이 잠깐 사이, 내 차크라 리소스의 절반을 차지했었다는 사실을 알 수 있었다.

사실 히페리온 정도 되는 초월적인 마검이 내면세계를 잠식(蠶食)해 들어오면 아무리 강건한 사람이라도 버틸 수 없다. 삽시간에 내면세계를 장악당하고 육체의 제어권을 빼앗기게 되는 것!

그러나 무량구층에 도달한 내면세계는 너무나 드넓고 강건해…… 히페리온으로서도 어찌할 방법이 없다.

'아니, 잠깐. 그럼 히페리온은 차크라 수련자용 무기인가?'

그러나 잘 생각해 보니 전혀 아니다.

발작하듯 힘을 쏟아 낸 결과라곤 하지만…… 히페리온은 한순간 무량구층의 차크라 리소스를 절반이나 집어삼키며 침묵의 제약을 깨트렸다.

차크라 초월자가 이 검을 쓰려면 자신의 차크라를 절반, 넉넉하게는 그 이상을 봉인하는 셈인데 그렇게 되면 검을 얻은 이상으로 전력이 깎여 나갈 것이다.

'하지만 나는…… 상관없다.'

착점 덕분에 차크라 용량은 1~2층일 때도 남아돌았다. 9층에 이른 지금은 리소스의 0.1%도 못 채울 지경이다.

"일단 히페리온, 이 녀석은 기운이 빠질 때까지 버려두자."

물론 녀석을 구슬려야 에픽급 특성. [마검혼]을 제대로 쓸 수 있겠지만 지금 에픽 특성 하나가 중요한 게 아니다.

"뭘 넣지?"

[막을 수 없는 괴력] 같은 특수 효과를 다수 집어넣으면 일격의 위력이 그야말로 미쳐 돌아갈 것이다.

[전투 태세]나 [전투 가속] 같은 특수 효과를 다수 집어넣으면 초월자와 싸울 때도 속도에서 뒤처질 일은 없을 것이다.

[금강지체]나 [통곡의 벽] 같은 특수 효과를 다수 집어넣으면 강기 한 방 정도는 맞고 버틸지도 모르지.

그러나 그렇게 고민하던 중 문득 내 손이 빛나고 있다는 걸 깨닫는다.

뭔가 새롭게 빛이 나는 건 아니다. 항상 있는 현상이다. 내 양손에는 [행운의 찬란한 빛 장갑 +9(전설).]이 장착되어 있으니까.

"……."

히페리온을 본다.

"……."

빛나는 장갑을 보았다.

그리고 그 결과 나는 마침내 모든 소켓을 채우게 되었고.

"로그아웃."

지구로 나간다.

콰콰광!

펑!

"쏴! 계속 쏴! 언제 또 리젠될지 몰라! 이대로 마무리한다!"

"플라워 님의 부상을 치료해!"

"접근할 수가 없습니다!"

시끌벅적한 소리를 들으며 자리에서 일어난다. 토마스가 깜짝 놀란다.

"뭐야, 왜 벌써 일어나? 며칠은 쉬어야 해!"

"그럴 상황이 아닙니다."

진짜 그럴 상황이 아니다.

왜냐하면…… 망령룡 레플리가 아직 살아 있기 때문이다.

'내가…… 잡는다!'

최종적으로 히페리온의 소켓은 이렇게 채워져 있었다.

[금빛 중첩], [금빛 중첩], [금빛 중첩], [금빛 중첩], [금빛 중첩].

난 오늘.

현실에서도 쓸 수 있는 전설 템을 10개 이상 땡기고야 말 것이다.

쿵.

단 한 걸음에 베이스캠프를 벗어난다. 결계가 쳐 있었지만, 외부에서 내부로 향하는 단방향이었기에 아무런 문제가 없는 상황.

나는 짧은 시간 시선을 돌려 상황을 파악했다.

'히페리온은 없다. 블랙 메시아는 자살했고, 남은 건 망령룡뿐이야.'

그리고 그 외의 기타 잡몹들 역시 얼마 남지 않았다. 저 멀리서 리젠 된 수백 마리의 몬스터들이 열심히 달려오고 있었지만 초월급 몬스터만 없으면 저깟 놈들 따위 수백이 아니라 수천수만이어도 소용없다.

초월지경의 드래곤이라면 주문 한 방으로 정리할 수 있기 때문이다.

[생명의 씨앗.]

그린 드래곤 플라워의 목소리와 함께 녹색의 빛이 땅을 파고 들어가더니 한 그루의 꽃나무가 삽시간에 자라나 그 덩치를 키운다.

그것은 마치 성재의 나무가 그러했듯 몬스터들의 시체와 주변의 사기를 흡수해 정반대의 성격인 생명의 힘을 키웠다.

콰쾅! 콰득!

물론 레플리도 그 모습을 순순히 지켜보지 않았다. 지옥의 불꽃(Hell Fire)과 공간의 어긋남이 꽃나무를 불태우고 절단하는 것!

그러나 녀석이 상대해야 할 적은 플라워 하나가 아니다.

콰득!

[크아아아!]

레플리의 오른 날개가 뜯겨 나간다. 환영처럼 나타난 드래곤 형상의 얼음 거인들이 레플리의 몸에 달라붙어 육체를 파괴하고 있다.

양 날개를 잃어버린 레플리의 몸에서 검은 피가 폭포수

처럼 쏟아진다.

'아, 안 돼……!'

속으로 비명을 지른다.

'레플리가 죽겠어!'

땅을 박차고 달리지만, 거리를 좁히기 전에 싸움이 끝날 것만 같다. 전설 9강 장비를 다섯 개나 소모해 히페리온의 소켓을 채워 놨는데!

"합!"

가속한다. 심지어 그 와중 수십 기의 기가스가 미친 듯 포격을 가하고 있어서 일직선으로 뛰어가기도 어려운 상황!

뿌드득!

결국, 선택한 수는 투척이다.

'내가 마무리하는 게 최선이지만 안 된다면 숟가락이라도……!'

오른손이 왼 발뒤꿈치에 닿을 정도로 몸을 강하게 휘었다. 활처럼 당겨진 근육에서 심상치 않은 소리가 울려 퍼진다.

"로그인."

그리고 그 상태로 아르데니아로 넘어가 온갖 술식을 외웠다.

물론 이래 봐야 한계는 명확하다.

"아, 천지검으로 쳐야 하는데!"

내 공격 수단 중 초월자의 방어를 뚫을 수 있는 위력과 격(格)을 지닌 것은 오직 천지검뿐이다.

온 힘과 술식을 다 더한 투척이라도 레이드 최소 기여도(데미지 1%)를 달성할 수 있을까?

"던져 봐야 알겠지. 로그아웃!"

지구로 돌아온다. 그리고 히페리온을 던진다.

빼엉!

마치 한 줄기 광선(光線)처럼 히페리온이 쏘아진다.

그리고 바로 그때.

그 궤적 사이에 다크 메시아가 리젠되었다.

"암흑신의 대치유!"

번쩍!

등장과 동시에 외치자 다크 메시아의 가슴에 칼이 박히는 듯한 이펙트가 뜨더니 어둠의 기운이 쏟아진다.

우우웅!

사망 직전이었던 레플리의 몸이 삽시간에 회복된다.

그 모든 것이 문자 그대로 한순간에 벌어진 일이었다.

다크 메시아의 치유가 어느 정도로 빨랐냐 하면 레플리를 두들겨 패던 두 드래곤도 반응을 못 했음은 물론.

내가 던진 히페리온이 아직도 허공을 가르고 있었을 정도였다.

쩡!

히페리온이 치유를 쏟아 내던 다크 메시아에게 도달한

다. 물론 그냥 닿을 수는 없다.

카가각!

히페리온이 다크 메시아의 몸을 뒤덮고 있던 실드에 충돌한다.

동시에 검에 담겨 있던 차크라 술식이 폭발했다.

냉기(冷氣). 광(光). 목(木). 풍(風). 화(火). 토(土). 독(毒). 뇌(雷).

현문(賢門). 개방(開放).

속성공격(屬性攻擊). 8중첩(八重疊).

쩌저저저정! 퍽!

너무나 허망하게.

수십 겹의 실드를 부수고 히페리온이 다크 메시아의 목에 박혔다.

“어?”

“엉?”

“뭐?”

막 뭔가를 하려 했던 플라워도, 목에 검이 박힌 다크 메시아도, 심지어…… 히페리온을 던진 나조차 당황했다.

‘아니, 이게 왜 맞아? 심지어 뚫린다고?’

다크 메시아의 방어 능력은 실로 대단해서 전장을 알짱

거리며 레플리와 히페리온을 치유하는 녀석을 죽이려고 드래곤들이 궁극 마법을 몇 번이나 때려 넣었을 때도 버텨 낼 정도였다.

인제 와서 이깟 투척 따위에 뚫린다는 것은 있을 수 없는 일.

그러나 나는 이내 상황을 파악할 수 있었다.

'타이밍이다.'

카드 게임의 몬스터가 구조적으로 가장 약할 수밖에 없는 리젠 직후, 거기에 모든 힘을 레플리를 회복시키기 위해 쏟아 낸 바로 그 타이밍에 내 공격이 들어간 것이다.

그러나 아무리 맷집이 약한 사제라 해도 명색에 초월자인 녀석은 그대로 죽어 주지 않았다. 녀석은 죽는 대신 분노로 이글이글하는 눈으로 나를 노려보았다.

"무지몽매한 천것이 낄 데 안 낄 데를 구분하지 못하는구나! 오냐! 그렇게 죽는 게 소원이라면 들어주마! 어둠의 권능! 죽……."

퍽!

다크 메시아의 목에 반쯤 박혀 있던 히페리온이 5센티 정도 전진한다.

전사 직업 전설 스킬, 쉐도우 트와이스.

"그르륵……?"

피거품을 뿜으며 다크 메시아가 손을 내젓자 그의 주위로 여러 겹의 방어막이 떠오른다. 드디어 느껴진 위기감에 필사적이었던 듯 한 겹, 한 겹이 공간이 왜곡되어 보일 정도의 두께.

그러나 녀석은 몰랐으리라. 그의 카드가 현실의 룰을 무시했듯, 다른 '규칙' 역시 그의 방어를 무시할 수 있다는 사실을.

마지막으로, 히페리온이 한 번 더 힘차게 전진하고.

뎅겅!

다크 메시아의 목이 잘려 나간다.

"이런, 말, 도, 안 되는……."

떨어지는 머리에서 퍼지는 불신 가득한 목소리와 함께.

촤라랑!

하늘에서 수십 장의 카드가 쏟아진다.

"……."

"……."

"……."

모두가 그 모습을 멍하니 보고 있었다. 역시나 어이가 없어서 멍하니 서 있는 내 귓가를 뭔가가 스치고 지나간다.

포로롱!

그것은 그림자 까치 샤샤샤였다. 어두운 환경 탓에 잘 보이지 않는 녀석이 열심히 날아다니며 카드들을 잡아채고 있다.

콰과광! 콰득!

"앗, 레플리……."

그리고 그 와중 결국 버티지 못한 레플리가 파괴되었다. 나는 레플리 사냥에 숟가락도 못 얹은 것에 울어야 할지, 아니면 다크 메시아를 기여도 100%로 잡은 것에 웃어야 할지 알 수가 없었다.

고오오!

"드디어 나왔군."

초월급 몬스터가 모두 죽자 허공에 야구 방망이처럼 생긴 세 개의 기계가 나타난다.

게임 마스터가 직접 만들었다는 몬스터 유도 장치!

화이트 드래곤 스노우가 그것을 잡아 허공에 열린 공간의 틈에 집어넣자, 새카맣던 하늘에 금이 그어진다.

우우우!

섬을 뒤덮었던 막이 사라지며 그 너머에서 반짝이는 별들이 모습을 드러낸다.

그때였다.

[모두 정지.]

플라워의 목소리와 함께 모든 것이 멈춘다. 그냥 움직임이 멎은 정도가 아니다.

'시간이…… 멈췄어?'

떨어지던 카드들, 넘어지던 꽃나무, 신나서 방방 뛰는

사람 모두가 멈춰 버렸다.
그 멈춰진 시간 속에서 플라워가 말했다.

[파이브 드래곤 중 셋. 루비, 사파이어, 흑요는 죽지 않았다. 다만 빈사 상태에 빠져 전투에 참여하지 못했을 뿐이다.]

'아니, 뭔 소리를 하고 있는 거야?'
뜬금없는 소리에 황당해 하는 순간.
어떤 '기억'이 머릿속으로 들어온다.
그리 많은 분량의 기억은 아니었다. 다크 메시아의 기술에 의해 세 드래곤의 목이 잘려 나가는 대신 목에서 피를 쏟으며 쓰러지는 모습이 주입된 것이다.
"하…… 정말 좀 놀러 왔다가 별꼴을 다 당하네."
거대한 그린 드래곤이 바닥에 쓰러져 있던 블랙 드래곤의 시체와 몸을 포갰다.
그러자 블랙 드래곤의 몸이 흐릿해지고…….
어느새 자리에는 머리 두 개 달린 드래곤이 서 있다. 다시 옆의 드래곤과 겹치자 그 머리가 세 개로. 다시 네 개로.
어느새 모든 시체가 사라지고-.
쿠구궁!
활짝 펼치자 하늘을 가릴 듯이 거대한 날개가 장엄하

다. 내가 볼 때마다 기가 차는 덩치의 랜드웜보다도 거대한 생물이 거기에 있었다.

'이런, 미친…….'

기존의 다섯 드래곤을 모두 합친 것보다 몇 곱절은 거대한 한 마리의 드래곤이 그 육중한 몸을 일으킨다.

그 드래곤은 평범한 드래곤과는 외양부터가 달랐다. 하나의 몸에 다섯 개의 머리를 가지고 있던 것이다.

각기 다른 색을 가진 다섯 개의 머리와 오색으로 아름답게 빛나는 몸통의 비늘.

나는 멈춰진 시간 속에서 눈 하나 깜짝 못한 채 비명을 질렀다.

'오두룡(五頭龍)! 크로매틱 드래곤(Chromatic Dragon)!'

파릇파릇한 성룡도, 원숙한 웜급도, 심지어 고룡조차 뛰어넘는 존재.

대우주 모든 색체룡의 원형이라고까지 불리는 초고대의 원시룡(元始龍)!

수십만 년을 살아왔다고 알려진 그는 드래곤 사회의 최고 어르신이다. 한때 노블레스 원로원(元老院)의 수장이었을 정도니 더 말해 무엇하겠는가?

'오룡이…… 각기 다른 드래곤이 아니라 크로매틱 드래곤이었다고?'

그렇다면 세 드래곤 역시 죽은 건 아니다. 크로매틱 드래곤은 다섯 머리를 동시에 파괴하지 않는 죽지 않는 존재이기 때문이다.

파앗!

오두룡이 사라지며, 정지되었던 시간이 원래의 상태로 돌아가고 닫혔던 하늘이 열린다. 나는 샤샤샤가 아이템 회수를 끝낼 때까지 가만히 서 있다 말했다.

"로그인."

아르데니아로 들어간다.

"으아."

다리에 힘이 풀려 조종석에 주저앉는다.

"오두룡이라니. 무시무시하네. 중급 신. 어쩌면 상급 신에 근접하다고 알려진 존재인데."

지구산 어르신하고는 비교도 안 되는 대우주 최고의 어르신이 설마 연예계 생활을 하고 있으리라고는 꿈에도 상상하지 못했다.

"이제 보니…… 위기도 아니었군."

리젠을 밥 먹듯 하는 초월급 몬스터라고 해 봐야 중급 신위를 가진 황제 클래스에게는 꼬꼬마 어린애에 불과하다.

만약 그녀가, 그러니깐 오두룡이 진심으로 싸웠다면 리젠이고 뭐고 십수 초 내외로 싸움이 끝났을 것이다.

"어쩌면 피해가 하나도 없는 것도 그녀들 덕일지도 모르고."

초월자들의 전투라는 어마어마한 이벤트가 벌어졌음에도 [서바이벌 아일랜드] 팀 중 사망자가 없다.

많이 다치고, 지쳐 떨어져 나간 사람이야 한둘이 아니지만 정작 죽은 사람은 없는 상황!

생각해 보면 절묘하게 결계가 유지되고 전력이 부족한 팀들이 기묘할 정도로 빨리 뭉쳤던 것 같기도 하다.

'그래. 이상하긴 했어.'

아무리 34지구 평균 수준이 높아도 그렇지 몬스터가 해일처럼 밀려오고 드래곤들이 브레스를 뿜뿜하는데 시체 한 구 안 보이는 상황은 정상이 아니었다.

[뭘 혼자 그렇게 중얼거리냐?]

"아, 미안 미안. 좀 충격적인 일이 있어서."

랜드웜의 말에 고개를 흔들어 정신을 차린다.

'그래, 이런 것들은 중요한 게 아니지.'

나는 중요한 일에 집중하기로 했다.

인벤토리를 확인한 것이다.

"아……."

그리고 나는 보았다.

인벤토리를 환하게 밝히는 금빛을!

'효과가…… 있었어!'

다크 메시아가 드랍한 아이템은 32점. 그리고 그중 무려. 무려! 무려 18개가 전설급 아이템이다. 아쉽게도 신화급은 없었지만, 영웅급도 다수 끼어 있다.

그야말로 대박 중의 초대박!
다만 문제가 있었다.
"아니, 아니 잠깐만……."
기뻐하던 난 떨떠름한 표정으로 그것 중 하나를 잡아들었다.

[오우-! 전설 카드--!]

영문 모를 효과음과 함께 카드가 뒤집힌다.

[외눈 거인 그루이]
종류 : 하수인 제한 : 공용
등급 : 전설 코스트 : 9
효과 : 턴마다 사이즈와 사이즈 관련 스텟이 1레벨 상승한다.
플레이버 텍스트 : 드래곤 슬레이어가 되고 말았습니다! 그저 꼭 안아 주고 싶었을 뿐인데도…….

언뜻 설명만 봐도 아주 강력해 보이는 하수인.
"아니 이걸…… 어떻게 쓰는 거지? 외눈 거인 그루이 소환!"
소리쳐 보았지만 아무런 반응이 없다.

[오우-! 전설 카드--!]
[오우-! 전설 카드--!]
[오우-! 전설 카드--!]
[오우-! 전설 카드--!]

카드를 마구 꺼낸다. 카드의 종류는 다양하다. 하수인 카드, 스펠 카드, 아이템 카드 등등.

전설이라는 등급답게 하나같이 사기적인 효과를 가진 물건들.

그러나 나는 그중 어떤 것도 카드에서 원 상태로 되돌릴 수 없다.

마나 구슬이 없기 때문이다.

'아니 이런.'

수집용 카드 게임. 즉, CCG는 턴제 게임이다.

한 턴, 한 턴 게임이 진행될수록 마나 구슬이 1개에서 10개까지 늘어나며 덱에서 카드를 뽑아, '핸드'라 불리는 자신의 패에 포함, 마나를 소모해 사용하는 방식.

그러나 그건 [다크 스타]의 시스템이지 [리벤지]의 시스템이 아니다.

전설 내 손에 전설 카드가 수두룩하지만…… 그것이 그림의 떡과 다를 바 없었다.

"하."

어이가 없어 헛웃음이 나온다.

"레플리를 잡았어야 했는데……."

쓰게 웃으며 카드들을 정리해 인벤토리에 넣었다. 그래도 전설 등급의 아이템이니 언젠가 쓸 일이 있을지도 모른다.

언젠가 네메시스의 주식을 구매해 시스템을 [패치]해 본다든가.

뭔가 소모품으로 전설 아이템이 필요할 때 대신 사용한다든가…….

일단은 그렇게 믿을 수밖에 없었다.

"로그아웃."

지구로 돌아오자 열린 하늘 너머로 수십 대의 비행선과 수백 대의 기가스가 늘어서 있는 모습이 보였다.

촬영팀의 연락이 두절되고 공간이 단절되자 정부에서 움직인 모양이다.

"대충 끝인가……."

근처에 있는 나무 파편에 대충 몸을 기댄다.

"아!"

그러나 벌떡 자리에서 일어난다.

"출석!"

베이스캠프로 달리기 시작한다. 하늘을 보니 깜깜한 밤!

리벤지 속 날짜가 갱신되는 새벽 5시가 지나기 전에 출석 체크를 마쳐야 한다.

무엇보다.

'일퀘를 해야지!'

말도 많고 탈도 많던 서바이벌 아일랜드가 끝나는 순간이었다.

* * *

본디 일주일로 예정되어 있던 서바이벌 아일랜드의 촬영은 고작 3일 만에 막을 내렸다.

그렇다 한들, 나태석의 편집팀이 분량 부족으로 고생할 일은 없었다.

오히려 편집할 부분이 너무 많겠지.

"그런데도 인터뷰를 이렇게 길게 따요?"

"에이. 재연 씨가 이번 방송의 주인공이잖아요. 저한테 받기로 한 돈이 얼마인데 겨우 인터뷰 가지고 엄살은."

샴고양이 모습의 외계인, 나태석이 능청스럽게 웃는다. 그의 주위에 온갖 종류의 고양이들이 따라다니며 나를 응시하고 있다.

언뜻 광야를 헤집는 냥아치 무리처럼 보이지만, 이는 촬영을 진행 중인 PD와 카메라들이다.

"그나저나 방송은 어떻게 되는 겁니까?"

"바로 내보낼 수는 없어요. 이번 사건은 예능에서 먼저 다루기엔 덩치가 너무 커서……."

그렇게 말한 태석이 한쪽 벽을 향해 고개를 돌렸다.

그의 눈이 깜빡이자 나무 재질로 보이던 벽이 디스플레이로 변하며 뉴스가 나온다.

[몬스터 사태 관련 뉴스입니다. 인기 프로그램 서바이벌 아일랜드 촬영 도중 27레벨의 몬스터 웨이브가 발생했습니다. 놀랍게도 다수의 초월급 몬스터도 있었다고 하는데요. 그 치열했던 현장을 시청자 여러분께 생생하게 전달해 드리고자, 현장에 나가 있는 취재 기자 연결하겠습니다. 임연희 기자?]

화면이 바뀌자, 예쁘장한 외모의 기자가 브레스가 만들어 낸 거대한 크레이터 위에 서 있다.

[임연희입니다. 저는 불초섬 중앙부에 와 있는데요. 대지에 남겨진 상흔과 아직도 요동치는 마력이 사고 당시의 치열함을 드러내고 있습니다.]

[27레벨 몬스터 웨이브…… 종말 프로젝트 이후 최대 규모라고 할 수 있는데요. 어떻게 된 일인가요?]

[지난 22일 새벽 3시 30분. 수많은 연예인과 촬영진을 집어삼켜 많은 이들을 걱정시키던 불초섬의 균열이 해제되었는데요. 그 안에서 살아나온 목격자들과 촬영 결과물로 인해 상상을 초월하는 몬스터 웨이브에 대한 정보

가 알려지게 되었습니다. 인기 프로그램 서바이벌 아일랜드의 촬영지인 이곳은…….]

삑!

화면이 꺼진다. 태석이 꼬리를 살랑거리며 말했다.

"어휴. 요새 정신이 없어요. 정신이. 뉴스 버전 편집하랴, 보고서 첨부 영상 만들랴, 심지어 다큐멘터리도 제작하고 있다니까요!"

"그렇게 바쁘면……."

"하지만 그래도 제일 중요한 건 서바이벌 아일랜드죠!"

"……."

나는 태석을 보며 구시렁거렸다.

'아주 그냥 신났구먼.'

입꼬리가 하늘까지 치솟고 있다. 어찌나 신나는지 가만히 앉아 있는데도 복슬복슬한 엉덩이가 둥실둥실한다.

"아, 그러고 보니 PD님도 표창 받으시죠?"

"네, 사람들을 잘 이끌었다나 뭐라나. 운이 좋았을 뿐이지만 공이라고 쳐 주면 저야 좋죠."

촬영에 참여했던 연예인들과 촬영팀은 단체로 병원에 입원해 있는 상태였다.

부상자가 워낙 많았던 데다가 서른 시간이 넘는 연전으로 다들 탈진 상태였기 때문이다.

특히나 일선에서 싸운 마스터들의 경우, 최고급 특실이

배정되어 어지간한 고급 호텔만큼의 호사를 누리는 중이다.

"방송도 그렇지만, 이번 수상의 주인공도 재연 씨죠. 전공부터가 1등이고요."

"F · D가 있지 않나요?"

"그분들은 이런 거 참여 안 해요. 1,000살의 파릇파릇한 성룡이라더니…… 이번 전투만 해도 그래요. 아니 한 문장으로 궁극 마법을 발동시키는 성룡이 세상에 어디 있어요? 그게 가능했으면 벌써 드래곤이 우주 다 정복했죠. 아무리 봐도 4,000살은 넘어 보이는데 드래고니아에 문의하면 앵무새처럼 F · D의 말이 사실이라고만……."

아무래도 F · D의 정체를 아는 이는 없는 모양이다. 하기야 시간 정지까지 걸었는데, 누가 그 모습을 볼 수 있었겠는가?

'누가 보긴. 내가 봤지.'

사실, 이해가 잘 안 가는 일이다. 이건 폐급 마나 적성과도 상관없다. 시간 정지는 물질계를 강제하는 실질적인 현상이 아닌가?

'아르데니아 때문인 것 같긴 한데…….'

잠깐 생각에 잠겼을 때 똑똑 소리와 함께 스태프 하나가 고개를 들이민다.

"한재연 님. 시상식까지 1시간 남았습니다. 슬슬 준비해 주세요. 아! 태석 님, 또 여기 계세요? 가서 준비!"

"네네. 좀 이따 봐요, 재연 씨."

태석이 나간 뒤, 나는 한 번 더 씻고 옷을 갈아입었다. 늘 그랬듯 배사랑이 선물해 주었던 양복이다.

뭔가 좀 단벌신사 느낌이 나지만 워낙 명품이라 어디에 입고 가도 문제 생길 일이 없다.

"후."

창가에 서서 도시를 내려다본다. 길을 오가는 수많은 사람이 보인다.

'주인공이라.'

나는 카메라 앞에서 히페리온과 다크 메시아를 처치했다. 이는 결코 가벼운 의미가 아니다.

34지구가 경찰이 초월자를 잡아가는 마경이라 해도 그게 초월자가 하찮다는 뜻은 아니기 때문이다.

'그 강대한 초월자를 잡아갈 수 있는 34지구의 공권력이 무시무시한 것에 가깝지.'

초월자쯤 되면 34지구에서도 스스로의 힘으로 재벌이 되는 데 그리 긴 시간이 필요치 않다.

물론 난 초월자가 아니지만……. 남들이 보기에 난 고작 파릇파릇한 20대가 아닌가?

'많은 것이 바뀔 거야.'

많은 사람이 나를 주목할 것이다.

많은 선택지가 나에게 주어질 것이다.

이번 사건으로 얻을 유명세는 이제는 주류도 아닌 영화의 성공으로 얻은 유명세와 차원이 다르다.

사람들은 나를 단순한 셀럽이 아니라 미래의 초월자로 이해할 것이기 때문이다.

"한재연 님. 이제 준비하실게요~"

"네."

병원에 있는 텔레포트 마법진을 통과한다.

시상식에는 꽤 많은 사람이 모여 있다. 우주적 이슈인 몬스터 사태이니 만큼, 피해가 전혀 없는 34지구에서도 중히 다룰 수밖에 없다.

"이야기 들었어? 주변 문명들에 등장하는 몬스터 수가 대폭 줄었데."

"하기야, 그 한 자리에 그렇게 쏟아부었으니……."

"무한한 줄 알았는데 그건 아니라는 말이지. 게다가 초월자들까지 있었다고 하고."

"아, 그런데 괜찮은 거 맞겠지? 아무리 34지구라도 초월자급 몬스터가 자살 테러하면 감당이 안 될 텐데."

"초월자면 엔간한 문명에서는 신으로 추대도 되는데 그놈들이 자살 테러를 할까 봐 걱정해야 한다니……."

수군거리는 사람들을 지나 정해진 자리에 도착한다. 먼저 와 있던 성재가 손을 흔든다.

"요~ 준신(准神)님 오셨군요."

"뭔 헛소리야."

"초월자가 아닌데 초월자를 조졌으면 준초월자는 되는 거 아냐? 어쨌든 덕분에 나도 7클래스 찍었어. 사역 주문도 성장한 듯하고.”

“쓰승! 나도 받아들일 수 있는 진동이 확 늘었어! 가슴 사이즈도 한 반 컵…….”

올리야의 말에 성재가 울컥한다.

“아, 제발! 그런 이야기 좀 하지 마! 아, 좀 손으로 가슴 잡지 마! 여기 카메라가 몇 개인데!”

“오우. 성재 씨. 생긴 거답지 않게 완전 꼰대야.”

“내, 내가 꼰……? 아, 머리 아프다. 진짜…….”

나는 티격태격하는 둘을 두고 자리에 앉았다.

같은 조였던 증폭술사 레아가 꾸벅 인사한다.

“안녕하세요. 몸은 좀 괜찮으세요?”

“물론이죠. 레아 씨는요?”

“저야 증폭밖에 안 했는데요. 그래도 감사합니다. 성재 씨처럼 클래스가 오르지는 못했어도 증폭 계수가 많이 늘었어요.”

뒤이어 혜영도 인사한다.

“저도 암 속성의 인문을 열 수 있었습니다. 재연 씨 덕이에요.”

“각자 노력한 결과인데 그렇게들 말씀하시니 좀…….”

그저 등짝이나 좀 쳐 주었을 뿐인데 말이야.

그때 사회자가 말했다.

“대통령님께서 들어오십니다.”

모두가 자리에서 일어난다. 한쪽에서 모습을 드러낸 중

년의 사내가 단상 위로 올라선다.

"뭔가 설레는군요. 대통령 표창을 직접 주는 건 임기를 시작하고 처음입니다."

너털웃음을 짓는 그는 34지구 최강국, 대한민국의 대통령 천종명이다.

'직접 보는 건 처음이네.'

정의신과 진실신의 자리가 공고해진 후 첫 이민자 출신의 대통령이다. 심지어 그는 검사 출신도 아니었다.

– 지구에서 가장 정의로운 직업은 무엇일까?

34지구에서 저런 질문을 듣는다면, 열 중 아홉은 같은 직업을 뽑을 것이다.

바로 검사.

당연한 말이지만 검사(劍士)가 아닌, 검사(檢事)이다.

검찰청은 세상에서 가장 정의로운 단체이며, 정의신전보다 정의신의 사제가 더 많은 곳.

때문에, 정치인들은 대부분 검사 출신이다. 아니더라도 변호사나 경찰 출신인데, 1세대 이민자이자 검사나 변호사는커녕 영능조차 없던 문명의 운동선수 출신인 그가 대통령의 자리에까지 올랐으니 실로 입지적인 인물이었다.

'대단한 사람이지.'

한 100여 년 전에는 지구에서도 너도나도 정치하겠다

고 설쳤다고 한다.

종교인, 연예인, 재벌, 심지어 범죄자도 정치하려 들었다던가.

그러나 제대로 하려고 하면.

세상에 정치보다 힘든 일은 몇 존재하지 않는다.

'브람 녀석만 봐도 알 수 있지.'

인정하긴 싫지만 브람은 만 명의 하나. 아니 십만에 한 명 있을까 한 인재다. 아무리 34지구의 인프라가 잘 발달해 있다 해도 어찌 보통 사람이 8클래스에 도달할 수 있겠는가?

그런 그조차 조사한 바에 따르면, 차관 레벨에서 컷당했다.

'정의신에게 검증 받기도 전에 때려치운 거지.'

정치인에게는 다양한 영역에 대한 높은 이해가 필요하며 사회적인 역량과 창의성 또한 필요하다.

일은 해도 해도 끝나지 않을 정도로 많은데, 그 엄청난 노력에 걸맞은 대가를 챙겨 갈 수도 없다. 대가를 챙기는 순간, 그건 부정부패(不正腐敗)이기 때문이다.

그들이 가진 그 엄청난 권한만큼 엄정한 도덕심과 정의감이 필요한 직업이 바로 정치인. 그리고 대한민국 대통령은 그런 정치인들의 정점이다.

"……하였으므로. 이는 34지구만의 쾌거가 아니라 몬스터 사태로 고통받는 온 우주의……."

천종명이 나를 비롯해 서른 명의 사람을 치하했다.

약간 교장 선생님 훈화 같은 느낌이었지만 불평하는 사람은 없다. 우리가 받는 것은 별 쓸모도 없는 표창장 하나가 아니었기 때문이다.

"올리야 그랜트 님께는 표창장과 수급 기가스 붉은 포효룡의 영구 대여권을 드리겠습니다."

"감사합니다!"

"김혜영 님께는 표창장과 수급 기가스 어둠 범의 영구 대여권을 드리겠습니다."

"감사합니다."

"이성재 님께는 표창장과 수급 기가스 황금 유니콘의 영구 대여권을 드리겠습니다."

"네!"

표창장과 함께 부상을 챙겨 준다.

'와. 죄다 기가스로 받네.'

이번 몬스터 사태를 해결한 공으로 받을 수 있는 부상의 가치는 실로 어마어마했고, 선택지도 넓었다.

단, 금전적 보상이나 되파는 게 가능한 물건도 금지였다. 표창의 의미가 퇴색된다나 뭐라나.

그래서 기가스도 통째로 주는 게 아닌 영구 대여권을 준다.

'판매는 불가능해도 유산으로 물려줄 수 있고 AS도 해주니 그냥 받는 것보다 더 좋은 물건이지.'

그러나 나는 그들처럼 기가스 대여를 선택할 수 없었다. 내게는 기가스 적성이 없기 때문이다.

그러나 아쉽지 않다.

“저도 영상을 봤습니다. 한재연 군. 2세대 이민자가 초월지경에 근접하다니…… 정말 대단하군요.”

“운이 좋았습니다.”

“하하. 제가 말이 많았죠? 한재연 군. 아니, 한재연 님께는 표창장과…….”

그렇다. 아쉽지 않다. 나는 기가스보다 훨씬 더 가치 있는 것을 선택했기 때문이다.

“적성개변 시술권을 드리겠습니다.”

평생 나를 옭아매던…… 저주스러운 사슬을 끊을 때가 되었다.

페급 마나 적성을.

“아아.”

금빛으로 빛나는 카드를 받아 든 손이 살짝 떨린다. 그 모습을 천종명 대통령이 싱글벙글하며 바라본다.

“기뻐하는 듯하니 다행이군요. 자, 그럼 이것으로.”

“이것으로 끝내면 아쉽겠지?”

“끝내면 아쉽…… 아니 이게 무슨 소. 헛?”

천종명 대통령 옆에 한 사내가 서 있다. 훤칠하지만 약간은 가느다래 보이는 인상. 대단한 위엄이나 화려한 외모를 가지고 있지는 않은, 그냥 적당한 훈남 정도로 보이는 사내.

"엉?"

"아?"

"어……."

그야말로 난데없는 등장이었지만 그 누구도 그에게 무슨 짓이냐고, 당장 끌어내라고 외치지 않았다.

왜냐하면, 알아보았기 때문이다.

"아? 아. 아…… 아! 아!?"

"아니, 아니 세상에."

"이럴 수가……."

그렇다. 알아본다. 과연 34지구에 그를 못 알아보는 사람이 존재하기나 할까?

대우주에 당할 자가 없는 최상급 신.

신의 혈통을 타고나 그 한계조차 깨 버린 초인.

멸망이 확정된 지구를 구원하고 온 우주에 그 이름을 떨친 구원자.

위대하고.

위대한.

게임 마스터.

"한재연."

그가 나를 불렀다.

"너를 나의 사도로 임명한다."

번쩍!

하늘 높은 곳에서 빛이 떨어져 나를 후려친다. 고통은 전혀 없었다. 그저 쏟아지는 빛을 맞고 있을 뿐이다.

"사도, 지금…… 사제가 아니라 사도라고 했지?"

"게임신의 사도는, 지금 한 명 아닌가?"

"그 한 명도 소문이야! 이, 이렇게 공개적으로 임명을 한다니……!"

사방에서 비명이 터져 나온다. 난데없는 신의 강림이었으니 당연한 일.

그러나 어느 순간.

그 모두가 멈춰 버린다.

"……!?"

낯익은 감각이다.

시간 정지.

"아, 역시 이렇게 되나."

정지된 시간 속에서 게임 마스터가 툭 고개를 내민다. 정지된 시간을 인식할 수는 있어도 움직일 수 없는 난 그 모습을 바라만 보고 있을 뿐이다.

"사도 임명이…… 안 되네?"

장난스러운 표정으로.

게임 마스터가 나를 바라보고 있었다.

'이게 무슨 소리지?'

머리가 팽팽 돈다.

사도 임명이 안 된다.

사실 말이 안 되는 일이다. 게임 마스터는 신앙을 강제하지 않는 신. 정의, 진실, 명예의 신은 물론이고 외계의 다른 신을 믿는 신도들도 별문제 없이 게임 신의 사제가 될 수 있는 것!

물론 해당 신이 게임 마스터의 권능을 불쾌해하고 거부하면 얼마든지 일어날 수 있는 일이겠지만……. 그건 더 상위의 존재에게나 가능한 일이다.

신앙을 갈구하는 신들이 대부분 상급 신에 불과한데 어찌 그런 일이 일어난단 말인가?

게임 마스터는 나를 꿰뚫어보듯 가만히 바라보았다.

"진짜 신기한 케이스야. 칭호도 없고 이름도 없고……. 다만 레벨이 보일 뿐이군. 18레벨인데 플러스알파가 붙나. 실질적으로 19.5레벨은 되겠어."

그는 한참이나 내 주위를 돌면서 모습을 살펴보았다.

"너, 내 말 들리지?"

들린다.

그러나 대답할 수는 없다. 나는 정지된 시간을 인식할 수 있지만, 그것이 내가 시간 정지에서 자유롭다는 뜻은 아니기 때문이다.

게임 마스터가 말했다.

"들리긴 하는데 통제는 안 되는 모양이네. 그럼 감각에 집중해 봐라. 너, 나를 어떻게 보고 있지?"

이해할 수 없는 말이다. 당연히 두 눈으로 보지 어떻게 본단 말인가?

그러나 게임 마스터는 고개를 흔들었다.

"제대로 인식해라. 난 지금 네 뒤에 서 있어. 눈으로는 나를 볼 수 없다."

'……?!'

진짜였다. 편견을 버리고 인식을 바로 하니 그가 내 뒤에 서 있는 모습을 [볼] 수 있다.

'아니 이게 뭐지? 어떻게 이런 식으로 볼 수가 있지?'

"소리는 어떻게 듣고 있지? 집중해."

그의 말에 정신을 집중한다. 그리고 깨달았다.

'이, 이게 뭐야?'

정지된 시간 속에서, 나는 눈으로 세상을 보는 게 아니다.

귀로 말을 듣는 것도 아니었다.

이 잘린 시간의 단면 속에서 내가 세상을 인식하게 하는 것은 육체적인 감각이 아니다. 그것을 지금까지 상상도 못했던 어떠한 [관점]. 시각 촉각 청각을 초월한 무언가.

"마치 책을 읽는 것 같지?"

"말도 안 돼!!"

"오, 빨리 성공했네. 자질이 보이는걸?"

"헉……. 헉……. 이게 무슨?"

입을 열었다. 그게 시간 정지가 풀렸다는 말은 아니다. 내 몸은 여전히 멈춰 서 있었고, 나의 [관점]만이 남아 게임 마스터와 마주하고 있었다.

게임 마스터가 신기하다는 듯 웃었다.

"고유한 시간선을 가지고 있다니 상당히 드문 케이스야. 아니 정확히 말하면 이건 시간선 정도가 아니지? 차원 좌표도 있는 걸 보니 고유 세계 같은 걸 가지고 있는 모양인데."

"게임 마스터님."

"관대하라고 불러."

친밀하게 말을 걸어옴에도 긴장으로 몸이 굳는다. 대우주에 당할 자가 없는 최상급 신. 신의 혈통을 타고나 그 한계조차 깨 버린 초인. 멸망이 확정된 지구를 구원하고 온 우주에 그 이름을 떨친 구원자.

그야말로 교과서에서나 보던 존재다.

'반드시 마주하게 될 거라고 생각할 때는 안 만났는데 이제 만나게 될 줄이야.'

나는 이 능력을 얻은 이후 계속해서 그에 대해 생각했다. 상식적으로 내가 얻은 능력이 너무나 상식을 벗어났기 때문이다.

과금으로 게임 속 능력과 아이템을 현실로 가져오는 능력.

이런 능력을 얻었는데 게임의 신을 떠올리지 않는 것은 불가능한 일이다.

"알고 있겠지만. 네 힘은 나에게서 비롯된 것이 아니야."

"역시 그렇군요."

능력이 아닌 이유의 문제다. 아무것도 아닌 사회 부적응자에게 선사하기에……. 이 능력의 잠재력은 너무나 엄청나다.

"그렇지. 요새 너무 바빠서 뭘 할 여유가 없거든."

뜻밖의 말에 의문을 표한다.

"바쁘다니. 대하 님께서 말입니까?"

게임 마스터가 공식적인 활동을 하지 않은 지 꽤 오랜 시간이 흘렀다. 굳이 뭘 할 필요도 없이 의견 표명만으로 대우주를 뒤흔들 수 있는 그가 왜 바쁘단 말인가?

"최상급 신은 최상급 신 나름대로 질 멍에가 있다는 말이지. 그로테스크 그 등신 놈도 결국엔 못 벗어났는데 나라고 별수 있겠어? 물질계야 짬짬이 오는 거로 만족하는 중인데……. 널 발견하다니 그 바쁜 틈을 낸 보람이 있네."

"저를 찾고 계신 것 같지는 않은데."

"당연히 널 찾은 건 아니지. 내가 찾은 건 뜨문뜨문하던 일이 미친 듯이 많아진 이유에 대한 단서……. 아, 너무 불편하게 이야기하고 있나? 앉아서 이야기하지."

대하의 말에 황당해서 반문한다.

"앉다니요? 몸도 없는데."

바로 그 순간이었다.

팟!

쾅!

"악!"

외마디 비명과 함께 대하가 쓰러진다. 깜짝 놀라 그를 부축한다.

"괜찮으십니까?"

"아니 이게 무슨 느낌이야!? 바둑판으로 머리 맞은 거 같아!"

"……."

묘하게 구체적인 말에 황당해하는 순간이었다.

[인간!!! 인간!!! 드디어 잡았다!! 죽여 버리겠어! 죽여 버리겠어!!!]

살벌한 외침과 함께 거대한 그림자가 우리 둘을 가린다.

[죽여 버리겠어! 죽여 버리겠어! 죽여 버리겠어! 죽여 버리겠어! 죽여 버리겠어! 죽여 버리겠어! 죽여 버리겠어! 죽여 버리겠어! 죽여 버리겠어! 죽여 버리겠어! 갈기갈기 찢고 목을 매달고 머리통을 부수고 온몸을 불태울 거야……!]

수십, 수백 미터의 덩치를 가진 암흑의 괴물은 끔찍한 외향을 가지고 있었다. 뒤틀린 수천수만 개의 머리통이 비명을 내지르고 모든 것을 잡아 삼킬듯한 어둠이 촉수처럼 일렁거린다.

지옥의 마왕이라도 되는 듯 살벌한 모습.

[하하하하!! 이제 나갈 수 없을 거다!! 너는 이제 억겁의 시간 동안……!]

"아……. 머리야."

그리고 그때 대하가 자리에서 일어났다.

[…….]

미친 듯 소리치던 히페리온이 돌처럼 굳는다. 나는 깨달았다.

"아, 내면세계로 들어온 거구나."

하기야 히페리온이 기다릴 다른 장소가 어디 있겠는가? 133배 시간 배속을 걸고 방치했더니 화가 많이 난 모양이다.

"아! 진짜! 이 아줌마 완전 깡패 아냐? 아무리 그래도 게임은 내 영역인데 들여다보는 것도 안 된다는 게 말이 돼?"

씩씩거리는 대하의 모습에 거대하게 몸을 부풀렸던 어둠과 마기가 삽시간에 그 몸을 줄였다.

어느새 까만 드레스를 입은 작은 소녀의 모습으로 돌아온 히페리온이 슬금슬금 뒤로 물러난다.

이제야 그 모습을 발견했다는 듯 대하가 물었다.

"넌 뭐냐?"

[안녕하시옵니까. 소녀 히페리온이라고 하옵니다.]

"그러니까 그게 뭔데?"

[아무것도 아닌 막대기에 깃든 잡령. 하찮고도 비천한 쓰레기 같은 년입니다. 누, 누구신지는 잘 모르겠지만 모자란 안목으로도 정말 위대하고 위대하신 분이라는 것을

알 수 있을 정도로 위엄이 넘치시는군요. 당신 같은 분을 뵙게 된다니 그야말로 삼생의 영광. 저 같은 천것에게 허락되기에 과분한 복이라 할 수 있습니다.]

"와. 랩 하는 줄."

그야말로 낯 뜨거워지는 찬사에 황당해했지만, 히페리온은 전혀 안 들린다는 듯 내 쪽으로는 눈도 돌리지 않는다.

그녀가 드레스를 입은 자세 그대로 머리가 땅에 닿을 정도로 크게 조아렸다.

[뵙게 되어 정말 영광이었습니다. 저같이 하찮은 것에게 바쁘신 시간 낭비하지 마시고 볼일 보시면 될 듯합니다. 그럼! 저는 이만 가 보겠습니다. 총총.]

웃기지도 않는 의태어와 함께 뒤로 물러난다.

대하가 물었다.

"네가 키우는 녀석이냐?"

그 물음에 히페리온이 나를 보았다. 눈물이 그렁그렁한, 엄청나게 간절한 시선이 쏟아진다.

나는 답했다.

"마검의 사악한 악령입니다."

[……!]

"역시 그렇지? 이왕 온 김에 죽여서 성검으로 바꿔 줄게."

[……!?]

경악으로 치떠지는 눈을 보며 고개를 끄덕인다.

"그것도 좋지요."

"그래. 아, 마법검도 가능해. 궁극 마법을 구사하는 마법사 타입의 검령은 어때? 외향은 성숙한 여성이 좋겠지?"

[살려 주세요……!!]

어느새 저 먼 지평선까지 사라졌던 히페리온이 후다닥 앞으로 달려와 무릎 꿇으며 머리를 땅에 박는다.

[악령이라니 억울합니다! 평화롭게 어둠 속에서 살던 저를 사악한 마법사들이 잡아다 검에 봉인한 것입니다! 검으로 살며 많은 나쁜 일이 있던 건 사실이지만 일부러 유도한 게 아니에요! 저를 잡고 무너진 인간들의 잘못입니다!]

"아, 그렇구나."

대하가 알겠다는 듯 고개를 끄덕이고는 말했다.

"역시 힐링이 달린 성검이?"

[흐헝헝! 아니에요! 제가 잘못했어요! 드넓은 우주에서 이 좁은 공간에 갇힌 게 너무 화가 났어요! 처음에는 그게 잘못이라는 것도 몰랐단 말이에요! 으아아앙!!]

마구 울음을 터트리는 모습에 내심 혀를 내두른다.

'와, 이렇게까지 겁에 질린다고?'

나도 긴장이야 하고 있지만 그건 그가 해 온 일, 이뤄낸 역사, 그리고 가진 힘을 알고 있기 때문이다. 편견을 다 지우고 보면 그냥 20대 초중반의 청년으로밖에 보이지 않는 상황.

그러나 히페리온에게는 그렇게 보이지 않는 모양이다.

“흠. 난감하네.”

그렇게 말하며 대하가 나를 돌아본다. 싱글거리는 표정에 나는 그가 장난을 치고 있음을 알았다.

때문에 대충 받아 준다.

“뭐, 바쁘실 텐데 굳이 수고하실 필요 없습니다.”

[……!]

절망에 잠겨 있다가 확 고개를 들어 올리는 히페리온. 대하가 고개를 갸웃거린다.

“그다지 수고랄 것도 없는데?”

[……!]

다시 절망에 잠긴다. 나는 웃었다.

“저한테 피해 끼친 건 없으니까요. 혹, 문제가 되면 나중에 말씀드리겠습니다.”

“그래 뭐 종종 보게 될 테니까.”

거기까지 말하고 손을 휘젓는다. 어느새 히페리온이 사라지고 나와 그 사이엔 티테이블이 마련되어 있었다.

‘아니, 내 내면세계인데?’

어이가 없었지만, 최상급 신쯤 되면 못할 게 뭐가 있겠는가? 대하는 어느새 준비된 콜라를 마시며 설명했다.

“음. 이걸 어디서부터 얘기해야 하나……. 그래. 태초에 공허가 있었다.”

입이 절로 벌어진다.

"아니 거기서부터 시작한다고요?"

너무 거대한 이야기가 아닌가? 그러나 대하는 태연한 모습이다

"관련된 이야기야. 우주의 탄생과 창조신에 관한 이야기는 대충 알지? 내가 교과 과정에 넣으라고 했으니 알겠지."

"모두 알 필요가 없는 [대우주와 지구]가 왜 필수 과목인가 했더니……."

원래 이 우주는 아무것도 없었다고 한다. 빈 공간이었다는 게 아니다. 없다는 개념조차 존재하지 않는 완전한 무(無). 흔히 말하는 공허(空虛).

그리고 그 공허에서 [그]가 태어난다.

이름조차 붙일 수 없는 위대한 존재. 모두가 존재를 알지만, 누구도 만날 수 없는 절대자.

창조신(創造神).

"정확하게 알고 있네. 뭐, 어차피 진짜 정확한 얘기는 아무도 모르겠지만."

대하는 그렇게 웃고는 말을 이었다.

"[그]는 외로움에 시달렸다고 해. 당연한 일이야. 홀로 억겁의 시간을 살아가는 데 아무리 대단한 존재라도 견딜 수 없었겠지. 그래서 [그]는 이 세상을 만들었어."

만들었다고 하지만 그것은 재료를 가지고 어떤 물건을

만드는 것과는 전혀 다르다.

왜냐하면, 세상에 존재하는 것은 오직 [그]뿐이었기 때문이다.

대하가 말했다.

"극단적으로 말하면 친구 하나 없는 외톨이가 방구석에서 친구를 상상하는 거나 마찬가지지. 혼자서 상상의 나래를 펼친 거야. 드넓은 세상, 그 안에서 살아가는 무수한 존재, 온갖 사건과 사고……."

필멸자가 이런 일을 한다면 그것은 고작 망상일 뿐일 것이다.

그러나 [그]는 우주에 오롯한 창조신.

그의 상상은.

정말로 세상이 되었다.

"그래. 이 세상은 [그]가 꾸는 한바탕의 꿈이다. [그]가 써 내려간 한 권의 책이며, [그]가 상상한 온갖 잡다한 상념들이다."

그가 상상한 등장인물들은 우주의 주인이 되었다. 설정은 법칙이 되었다. 온갖 차원이 만들어지고 만들다 만 것들은, 지워지고 탈락한 것들은 [언네임드]가 되어 상념 아래로 버려지게 되었다.

"본질적으로, 이 세상에 존재하는 건 오직 그, 한 명뿐이었다는 말이지."

교과서에서 이런 내용을 배우고 충격받는 이들이 많았

다. 우리가 실존(實存)하는 것이 아닌 허상이라 여기고 허무한 감정을 느끼는 이들도 있었다.

교사들은 우리가 허상이 아니라 상상으로 정말 세상을 만들 정도로 창조신이 높은 존재인 것이라고 설명하곤 했다.

"아니, 잠깐만요."

그러나 문득 나는 그의 말이 뭔가 이상하다는 것을 깨달았다.

"한 명뿐이었다……."

"그래. 이제는 아니다. [그]는 이제 혼자가 아니야."

깊게 한숨 쉬며 대하가 말했다.

"[그녀]가 나타났으니까."

"……."

여기서부터는 34지구의 교육에서도 다루지 않는 부분이다.

말 그대로 신화 그 자체.

문제는 이 신화가 현재 진행형이라는 것이다.

"창조신과…… 대등한 존재가 탄생했다는 건가요?"

"알 수 없지. 대등한지 뒤처지는지, 오히려 더 강한지…… 우리같이 하잘것없는 존재들이 뭘 장담할 수 있겠어?"

대우주 전체를 뒤져 봐도 비견될 존재가 거의 없는 최상급 신이 쓰게 웃는다.

“덕분에 [그]는 자신이 만든 대차원의 관리를 그만뒀지. 엄격히 관리하던 차원 관리도 내팽개친 채, 아수라도 회수해서 의식 깊이 봉인했던 언네임드가 대우주에 난장을 부리게 되었다.”

약 500년 전 대우주 전체를 휩쓸었던 대전쟁에 대한 이야기다.

언네임드, 천족과 마족, 그로테스크, 리전, 그리고 온갖 초월자와 신들이 뒤섞인 대우주 규모의 난장판.

“그게 다 [그녀] 때문이라는 건가요?”

“뭐, 진짜 대등한 존재가 나타났으니 피조물에 관한 관심이 줄어들 만하지. 문제는…… 처음엔 [그]만 신경 쓰던 [그녀]가 그 피조물에 관심을 두게 되었다는 사실이지.”

하기야 당연한 일이다. 아무래도 태어난 지 얼마 안 된 아이(?)에겐 어른보다 장난감이 보이기 마련일 테니까.

나는 그의 이야기를 정리했다.

창조신은 홀로 억겁의 세월을 살아오다 외로움을 이겨내기 위해 세상을 만들었다. 애정으로 만들었으니 당연히 관리했을 것이다.

그러나 [그녀]가 나타났다. 창조신과 대등할지도 모를 유일(唯一)한 타자(他者).

그리고 아이러니하게도, 창조신이 대차원의 관리에 손을 놓게 된 이유인 [그녀]는 [그]가 만든 세상에 관심을 두게 되었다.

"그럼 그녀의 목적은 뭡니까? 새로운 세상을 만드는 것?"

"그걸 목표라고 할 수는 없지. 이미 미친 듯이 만들고 있잖아?"

그것이 최근 벌어지고 있는 몬스터 사태의 정체였다. 닥치는 대로 게임 속 세상과 몬스터를 복사해 대차원에 뿌리고 있는 것!

"여기에…… 무슨 의미가 있죠?"

"나도 정확히는 모른다. 다만 짐작하기로…… [그녀]는 우리 같은 존재를 만들고 싶은 모양이야. 이 모든 게 그 과정이라는 말이지."

"우리?"

"최상급 신들."

대하는 차분하게 설명했다.

이 세상은 창조신의 꿈, 혹은 소설 같은 세상으로 우리는 자유 의지로 살아간다고 믿어도 사실 다 그의 관념하에서의 움직임이다.

창조신의 [시나리오]가 일종의 운명과 같은 개념으로 작동하는 것.

"그것을 읽어 내는 능력 계통도 있어."

"……예지(豫知)."

"그래. 시나리오를 훔쳐보는 힘이지."

그러나 누군가 초월지경에 이르러 운명을 초월하게 되면, 그는 예지를 빗나가게 할 수 있다.

초월자의 세계에서 예지를 100% 신뢰할 수 없는 이유이며, 운명 마탑의 마탑주이자 대마법사 럭키 스트라이크가 주식으로 쪽박을 차게 된 원인이기도 하다.

"하지만 그조차도 완전한 초월은 아니야. 말하자면…… 그래. 그런 이야기가 있지? 소설가들이 소설을 쓰는데, 캐릭터가 작가가 쓰고 싶었던 전개에서 벗어나 다른 방식으로 행동한다는 등의 이야기."

흔히 있는 이야기다. 소설은 최초의 한 줄부터 마무리까지 작가가 써 내려가지만, 그럼에도 이야기를 완전히 통제하는 작가는 그리 많지 않으니까.

"하지만 그게 정말로 캐릭터가 살아 움직인다는 뜻은 아닐 텐데요."

"하급 초월자의 한계지. 그건 중급, 상급 초월자일 때에도 그리 크게 개선되지 않지만…… 최상급의 경지에 이르게 되면 또 달라. 최상급 신은 [오롯한 자]. 근원적인 한계를 깨부수고 [시나리오]에서 완전히 벗어나는 게 가능하다."

이해하기 어려운 말이었다. 시나리오에서 완전히 벗어난다니.

"예지에 완전히 면역된다는 뜻인가요?"

"그런 정도가 아니야. 오롯한 자는 [시나리오] 자체에서 탈출할 수 있다."

그것은 전혀 뜻밖의 말이다.

“대우주…… 아니. 대차원 밖은, 있다라는 개념 자체조차 없는 무(無)라면서요?”

“그런 곳에서조차 존재할 수 있기에 [오롯한 자]인 거지. 그리고 그렇게 되면…… 최상급 신은 대차원의 [밖]으로 나가 [그]와 마주하는 게 가능해진다.”

“소설을 썼더니…… 그 캐릭터가 현실에 튀어나온다?”

내 말에 대하가 고개를 끄덕인다.

“[그]의 시각으로 보면 그렇지. 실제로 꽤 긴 시간 동안 [그]의 목표는 최상급 신을 늘리는 것이었어. 윤회자(輪迴者)와 구원자(救援者), 그리고 사람(human)이 바로 그런 시도의 결과물이었지. 동등한 존재는 아니더라도 외로움을 달래는 정도는 가능하니까. 그마저도 [그녀]가 나타나며 다 그만둔 모양이지만.”

윤회자와 구원자는 지구에서도 아주 유명한 존재다.

깨달은 자 붓다(Buddha)와 세계의 화신 지저스 수퍼스타(Jesus Superstar).

꽤 최근까지도 지구인들은 그들을 지구 태생이라 믿어 의심치 않았지만……. 사실 그들은 우주적인 존재고 꽤 많은 문명에서 그 모습을 드러내 왔다.

‘뭐, 어쨌든.’

대하의 말은 명확하다.

“밖으로 나온 최상급 신을 보고 자기도 같은 걸 만들고 싶어 한다는 말이군요…….”

"그런데 잘 안 되는 거지."

"아무래도 그렇겠죠."

창조신은 아무도 없는 허무에서 억겁의 시간 동안 외로움에 몸부림치다가 세상을 만들었다. 창조신이 아무리 대단한 존재라 해도 이 세상을 만드는 그 과정이 과연 쉬웠겠는가?

어떻게 생각하면…… 이 세상은 외로움에 미쳐 버린 광기(狂氣)의 산물일 수도 있었다.

'그러나 그녀는 어떨까?'

이제 갓 태어난 [그녀]는 혼자가 아니다. [그]가 있고 그 말고도 다수의 오롯한 자, 즉 최상급 신들이 있다.

'완전히 처음부터 새로 만들…… 이유가 없다.'

아르데니아를 떠올린다. 아르데니아의 역사는 스토리 작가들이 쓴 것이고 세상은 맵 에디터들이 만들었다. 캐릭터는 캐릭터 디자이너가, 능력과 스텟 등은 개발자들이 만들었을 것이다.

[그녀]는 그것들을 대충 가져다 세상을 만들었다.

단지 그것만으로 초월자를 찍어 낼 정도로 그녀는 격을 넘어선 존재였지만, 그렇다 해도 최상급 신은커녕 아직 중급 신조차 구현하지 못했다.

"……."

하긴 예전부터 이상하긴 했다.

아무리 차크라 수련자들이 자신의 안에 소우주를 연다

해도, 내 안에 있는 아르데니아의 존재는 명백히 정상이 아니다.

소우주를 하나의 세상으로 비유한다 해도 특정 조건을 구현하는 것이지 그 소우주 안에서 자유롭게 살며 수많은 사람을 만나고 심지어 능력을 획득한다는 건 그야말로 말이 안 되는 이야기.

어디 그뿐인가?

내게는 최상급 신인 대하의 사도 지정이 먹히지 않는다.

즉.

"저는…… 그녀의 피조물이군요."

"아닌데?"

"……."

불경한 말이지만, 저놈을 확 한 대 때려 주고 싶다.

"아니, 그럼 여태 한 이야기는 다 뭡니까? 태초에 공허가 있었다, 부터 시작했잖아요! 여기까지 타이핑해도 수천 자는 되겠네!"

버럭하는 내 모습에 대하가 웃었다.

"진정해. 그녀가 널 만들지는 않았어도 관련은 있으니까. 너는…… 말하자면 그녀의 사도 '같은' 존재야. 내 사도 임명이 안 된 게 바로 그런 이유지."

그의 말에 흥분을 가라앉히고 물었다.

"저는 원래 이쪽 차원 출신인데 그녀가 사도로 만들어

서 이런 능력을 얻었다?”

“예상일 뿐 나도 자세한 건 알 수 없어.”

“아니, 그럼…… 저 같은 사람이 많을 수도 있지 않습니까? 이렇게 멋대로 만들 수 있다면.”

생각해 보면 몬스터만 해도 리벤지 출신이 다가 아니다. 블레이드&매직이나 다크 스타 등등 온갖 게임의 몬스터들이 있었다.

그 몬스터 종류만큼 나 같은 게임 능력자가 있다 해도 이상할 게 없다.

“12명이야.”

“아, 이미 다 찾으셨나요?”

“직접 본 건 나도 네가 처음이야. 34지구는커녕 레온하르트 제국을 통틀어도 너 하나밖에 없지. 너무나 거대한 존재인 [그녀]는 대차원의 내부를 명확하게 보지 못해. 바로 옆에 붙여 놨다고 생각해도 은하계 몇 개는 간격이 만들어지게 된다.”

“그럼 인원수는 어떻게 아시는 겁니까?”

“내가 누군지 잊은 거 아니냐? 간섭은 못해도 게임 관련인데 당연히 알 수 있지. 다만…… 생존자는 너를 포함해서 셋.”

즉, 아홉 명이 죽었다는 말이다.

“아니, 왜……?”

“아니, 왜가 아니라 일반인이 갑자기 게임 속으로 들어가면 죽는 게 정상 아니냐? 심지어 그녀에게 사도로 찍히면 이 세계와 마나 소통이 완전히 차단되어 버리는데."

"……아니, 아니 잠깐만요."

머리가 싸늘하게 식는다.

"설마 폐급 마나 적성이……?"

대하가 고개를 끄덕인다.

"아무나 그녀의 사도가 될 수는 없다. 초월적인 재능, 즉 차크라 초월자가 될 정도의 [소통력]을 가진 이들만이 대차원 밖에 있는 그녀와 연결될 수 있지. 그녀는 그 재능을 극한으로 개방시켜 버린 후……."

쿠르릉!

그때, 난데없이 하늘에서 천둥이 친다. 여유롭게 설명하고 있던 대하의 얼굴이 일그러진다.

"아, 그로테스크 이 등신 놈이 그걸 못 버티고 벌써 부르네. 나가 봐야겠다. 대충 설명 이해했지?"

그렇게 말한 대하가 허공에 손짓한다.

팟!

어느새 우리는 내면세계에서 벗어나 있었다.

"자, 잠깐만요! 폐급 마나 적성이……."

"사도 임명은 됐다고 해. 어디서 돈 빌리고 다니는 수준 아니면 그냥 인정해 줄게. 아, 그리고 사도라면 신기(神器) 정도는 있어야지."

번쩍!

한순간 섬광이 터지더니 고급스러운 디자인의 시계가 내 팔에 채워진다.

"초월 병기, 제로섬(zero-sum)이다. 내가 보니까, 넌 행운이 중요 스텟인 것 같더라고. 신제품이어서 넘버링에는 못 들어갔지만, 그래도 꽤 괜찮은 물건이야. 성장형이고. 녀석 밥 좀 많이 줘야 할 텐데, 나한테 내는 세금이라고 생각해라."

그렇게 말을 마무리한 대하가 한 걸음 물러서자 [관점]이 풀리고 시야가 원 상태로 돌아온다.

"사도 지정! 세상에!"

"놀랍군……."

"설마 실제로 저분을 보게 될 줄이야……."

장내가 점점 소란스러워졌지만, 대하는 씩 웃을 뿐이다.

"그럼. 나는 바빠서 이만…… 음?"

그대로 몸을 돌리려다 멈칫한다.

'뭐야. 급한가 싶더니 할 말이 남았나?'

그렇게 생각했지만, 그가 보고 있는 것은 내가 아니다.

그가 보고 있는 것은 성재였다.

"너, 이름이 뭐냐?"

"네, 넵! 저는 이! 성! 재! 라고 합니다! 나이는 52살! O형에, 부족하지만 배우 활동을 하고 있습니다! 게임 마스터님을 뵙게 되어 영광……."

"TV를 본 지는 오래되었는데…… 뭐지? 왜지? 느낌이 익숙……."

대하가 눈을 가늘게 뜬 채 중얼거리자 소란스럽던 주변이 점차 조용해진다.

"뭐지, 무슨 문제가 있는 건가?"

"저 사람이 누구죠?"

"유명한 배우예요. 이성재 몰라요?"

수군거리는 사람들. 그러다 어느 순간.

"아!"

외마디 외침과 함께 대하의 입이 벌어진다. 이내 그 표정이 뭐라 표현할 수 없는 것으로 변하더니, 마침내 그의 얼굴에서 여유가 사라졌다.

그러나 그게 화가 났다는 뜻은 아니다.

"아, 아하하! 아하하하하!"

폭소(爆笑)한다. 그야말로 파안대소(破顔大笑)! 대하는 성재를 마주한 채 미친 듯이 웃었다.

"아니, 아니 세상에 이럴 수가. 정말로…… 푸하하하! 아하하하! 세상에!"

영문도 모를 폭소에 주변이 완전히 얼어붙어 버렸다.

최상급 신이, 34지구의 구원자가 웃고 있다.

"아하하! 너, 진짜 잘생겼구나? 푸하하! 아이고 세상에…… 하하! 진짜로 잘생기다니!"

'아니, 이 양반이 왜 이래? 약이라도 먹었나?'

너무 뜬금없는 상황이었기에 나도 멍하니 그 모습을 바라만 보았다.

마침내 웃음이 잦아들고 눈물까지 흘리며 웃던 대하가 진정한다.

"아, 진짜 오랜만에 엄청나게 웃었다. 짬 내서 나오길 잘했어. 푸하!"

한 번 더 피식하더니 뚜벅뚜벅 걸어간다.

그리고 그러다 다시 한번 고개를 돌리고서는 웃음을 꾹 참는 얼굴로.

"큭…… 미남이야."

그 말을 끝으로 그는 사라졌다.

"……."

"……."

"……."

"……."

모두가 멍청히 서 있었다. 촬영 나온 기자들도. 단상의 대통령도. 상을 받기 위해 늘어서 있던 배우와 스태프들도.

표창식은 그걸로 끝.

당연히 그날 저녁 모든 뉴스 채널에 난리가 났다.

[게임 마스터 강림! 그 장소는 대통령 표창식!]

[게임 마스터의 사도가 탄생하다!]

[한재연, 그는 누구인가.]

[2대 사도의 권능은 과연?]

[강보람, 曰 '비 초월자의 몸으로 초월자 둘을 해치우는 활약.']

참고로 난리가 난 곳은 한 군데 더 있었다.

바로 연예부이다.

[신께서 인정한 미모! 우주최강미남!]

[이성재, 그는 누구인가.]

[신께서 인정한 미모를 보시라!]

[게임신의 사도와 우주최강미남의 투샷.]

[강보람, 曰 '인정하긴 싫지만, 미남이긴 하다.']

그렇게 또다시.

내 삶에 격변이 찾아오고 있었다.

* * *

그로부터 3일 뒤.

나는 여전히 병원에 남아 있었다. 부상은 이미 다 회복되었지만 받아야 할 수술이 남아 있었기 때문이다.

'아니, 그런데…… 이 체질이 [그녀]로 인한 것이면 고

치는 게 가능한가?'

물론 이 체질은 [그녀]가 악의를 가지고 내린 저주가 아니라 일종의 부작용이니, 가능해 보이기도 했다.

그럼에도 불구하고 안 된다면?

'아니야. 만약 정말 그렇다면 게임 마스터가 안 된다고 언급했을 거야.'

그러나 지 일 아니라고 대충 넘긴 거라면…….

"후."

자꾸 떠오르는 잡념을 떨치고는 체다의 배를 두들긴다.

지난 3일 동안 병실에서 한 발짝도 나가지 않았음에도 너무나 바쁘다.

[와우! M-4님께서 드래곤 스톤 8백만 개를 후원하셨습니다!]

빛의 성서를 연재해 후원을 챙겼다. 기독교·천주교·이슬람교 짬뽕이라 좀 불안했던 것에 비하면 상당한 성과다.

[M-4 : 오랜만에 괜찮음.]

언제나 그랬듯 후원액에 비해 성의 없는 후원 메시지를 보며 계산한다.

"태석에게 25억을 받고, 거기에 후원금을 다 더하면…… 대충 35억 정도."

어마어마한 돈이다. 예전의 나라면 죽을 때까지 일해도 손에 넣을 수 없는 금액.

그러나.

"아…… 애매하네. 그냥 신화급 말고 전설급으로 만족할까?"

사도 입명 후, 한 번도 로그인하지 않았다.

아르데니아의 시간이 흐르는 순간, 그만큼 인류제국의 피해가 누적될 뿐이라는 사실을 알기 때문이다.

"신화급 성 가격은 문제가 없어. 다 더해 봐야 14억."

문제는 부속 건물들이다.

'생산 건물 다 포기하고 방어 타워랑 수성 오브젝트만 설치하면 3억 4천.'

7개의 성을 최소한의 방어 능력을 갖춘 신화성으로 만들려면 5억 4천 곱하기 7이니, 결론적으로 38억이 필요하다.

즉, 돈이 부족하다는 말이다.

"아…… 차라리 내실이 충만한 전설 성으로 맞출까?"

그러나 그렇게 하면 나중에 일이 복잡해진다. 제국민들이 살고 있는 상태에서 성을 승급시키면 그동안 들여 놓은 화물이나 자리 배치가 엉망이 되기 때문.

물론 승급을 안 하면 되는 문제가 아니냐? 라고 생각할 수 있지만.

'전설 성으로는 결국 나중에 막을 수 없는 순간이 올 거야. 무엇보다 기가스 생산을 포기하기 아깝다.'

자리에서 한참을 고민한다.

"돈 나올 구멍이……."

"한재연 환자님. 수술실로 이동하실게요~"

"아, 네."

나는 체다의 배를 두들겨 캐릭터의 인벤토리를 비운 후 자동 사냥을 돌려 두었다.

"여기서 기다려."

"야옹!"

고개를 끄덕이는 체다를 놔두고 병실을 나선다. 문 앞에 간호사가 기다리고 있다.

"그럼 이동하실게요."

"네."

나는 살짝 긴장한 상태로 간호사를 따라 걸었다. 빼어난 미모의 간호사는 나를 슬쩍 훔쳐 보더니 물었다.

"소문의 사도님을 직접 뵙게 된다니, 운이 좋네요. 뉴스를 보니 초월자를 둘이나 잡으셨다고 하던데."

"운이 좋았죠."

겸손이 아니라 진짜로 운이 좋았다. 특히나 다크 메시아의 경우는 중첩된 행운이 아니면 있을 수 없는 결과였으니까.

'다크 메시아 입장에서는 말도 안 되는 불행일 테고.'

뭐, 오룡의 정체가 크로매틱 드래곤이었다는 사실을 생각해 보면 처음부터 승패가 결정된 싸움이기는 했다.

꽤 치열한 전투였지만, 애초에 그녀들이 정체를 숨기고 싶어 했으니 성립된 싸움이라고 할 수 있다.

"저기 한재연 환자님? 시계는 푸셔야……."

"아."

수술실 앞에서 나는 왼팔에 차고 있던 깔끔한 디자인의 시계를 보았다. 은은한 검은 광택을 흘리는 녀석은 시침과 분침이 달린 아날로그 방식이었는데, 고급스러워 보이긴 해도 그 정체를 알아보기는 쉽지 않은 물건이다.

'이게 초월 병기…… 거대 함선을 살 정도의 보물…….'

나는 슬쩍 시계를 보았다.

[제로섬(zero-sum)]

이득과 손해를 합치면 제로가 된다.

[드랍 조정 1단계] 신화 이상의 아이템을 획득할 시, 그것을 없던 일로 하는 대신 그 확률을 저장한다.

저장된 확률은 원하는 시기에 발동 가능.

2단계 상승까지 1,000포인트 필요.

[이벤트 조정 1단계]

[개방에 100만 포인트 필요.]

'이득과 손해를 합치면 제로가 아니라…… 일방적으로 좋은 거잖아?'

드랍 확률을 저장할 수 있다면 드랍 테이블을 따져 가며 필요한 아이템만 파밍하는 게 가능하다. 아니면 이번 카드 사태처럼 내가 사용할 수 없는 종류의 드랍을 방지하는 쪽으로 활용할 수도 있겠지.

'다만 성장을 시켜야 한다는 게 문제인데…… 대하의 말대로라면 드랍 템을 먹이면 되겠지.'

나는 제로섬을 풀어 인벤토리에 넣었다.

다행히 별문제 없이 들어간다. 아르데니아에서도 쓸 수 있다는 이야기다.

"그럼 좋은 결과 있으시길 바라요! 파이팅!"

"아, 네."

간호사의 응원을 받으며 수술실로 들어간다.

말이 좋아 수술실이지 고풍스러운 분위기의 서재처럼 보이는 공간이다.

"어머, 오셨군요."

벽난로 앞에서 책을 보고 있던 녹색 머리칼의 여인이 고개를 든다. 아는 얼굴이었다.

"플라워 님?"

F·D의 메인 보컬인 그린 드래곤 플라워.

지인이라고 부를 수는 없어도 이번 몬스터 사태로 안면 정도는 튼 사이다.

“재연 님 수술을 진행한다기에 지원했어요. 마침 쉬는 중이기도 했고.”

“앗…… 감사합니다.”

그야말로 최고의 패다. 왜냐하면 그녀는 평범한 용이 아닌 크로매틱 드래곤!

비록 다섯 개의 머리 중 하나라고 해도 그녀의 역량은 일반적인 초월자를 아득히 넘어설 것이다.

딸깍!

그때 문이 열리고 새로운 사람이 모습을 드러낸다.

이번에도 아는 얼굴이다.

“어? 플라워 아냐? 바쁠 텐데 이런 곳에서 보네.”

“안녕하세요, 샤이닝 님.”

놀랍게도 그는 스카이 소프트의 대표인 샤이닝. 그는 나를 보고 인상을 썼다.

“아우…… 내가 바짝 돈 벌어야 하는 이유가 바로 여기 있네!”

아무래도 주식 전쟁에서 패배한 여파가 있는 모양이다. 하기야 있는 돈 없는 돈 다 끌어다 썼을 테니 피해가 막심했겠지.

“모두들 안녕…….”

다시 문이 열리고 칙칙한 금발의 엘프 미녀가 안으로 들어온다.

“아, 운명 마탑의 마탑주님이시군요.”

그렇다. 그녀는 바로 주식 쪽박으로 거액의 빚을 지게 된 운명 마탑의 주인, 럭키 스트라이크였다.

예지 능력을 믿고 주식판을 놀이터처럼 뛰어다니다가 무려 300조의 손해를 본 그녀의 이야기는 너무나 유명해 모르는 사람이 없을 정도.

과연 샤이닝이 밝게 웃으며 손을 흔든다.

"오, 빚쟁이! 내가 너는 올 줄 알았지. 빚은 다 갚아 가?"

"거의."

"뭐, 맨날 거의래."

그때 다시 문이 열린다. 이번에 들어온 이는 30대 중후반으로 보이는 회색 머리칼의 사내였다. 그는 검은색으로 일렁이는 망토를 입고 있었는데 그것은 물질이 아닌 영혼으로 만들어진 것이다.

"……진짜 이 인원인가. 적성개변 수술이 어렵긴 해도 좀 지나친 인선인데? 대마법사를 넷이나 동원하다니."

그는 사령 마탑의 마탑주, 대사령술사 하인델이었다.

'이게 뭐야.'

상상을 초월하는 멤버의 면면에 어안이 벙벙한 심정이었다.

초월자, 그중에서도 대마법사의 경지에 이른 이만 넷이라니.

적성개변 수술이 인건비보단 원자재비용이 중요하다는 걸 생각해 보면, 지금 이 상황이 얼마나 비정상인지 알 수 있으리라.

"한재연 씨. 여기로 와서 누워 주시겠어요?"

"아, 네."

플라워의 나긋나긋한 말에 수백 개의 마법진이 그려진 카펫 위로 가 눕는다. 푹신푹신한 카펫의 정체 모를 털이 목을 간질인다.

"저기……."

"타임 스톱(time stop)."

뭔가 질문을 하려는 순간 시간이 멈춘다.

'요새 이거 진짜 많이 겪네.'

한 번 경험했기 때문인지 바로 내 상태를 [관점]으로 바꿀 수 있었다.

이 상태에서 말도 할 수 있었지만 다시 볼일 없는 대마법사들에게 그런 능력을 보여 줄 수는 없었기에 잠자코 있었다.

"자! 일단 상태부터 파악해 보도록 하죠!"

"재료비는 정부에서 다 대 준다고 하니 막 때려 넣는 식으로 해 보자. 나 요새 너무 힘들어."

"아무리 그래도 게임 마스터의 사도라는데 최소한의 성의는 보여야지."

"게임 마스터님한테 부끄러운 결과만 내지 마라."

멈춰진 시간 속에서 네 명의 대마법사가 마력을 휘두른다.

우우웅!

공간이 일렁이고 마력이 휘몰아친다.

'뭔가, 신기하군.'

마력을 휘두른다고 말했지만 그걸 느끼는 건 아니다. 내가 괜히 폐급 마나 적성이겠는가?

그러나…… [관점]의 세상에서 나는 그들이 하는 일을 하나하나 [알] 수 있었다.

마치 책을 읽는 것과 같다.

내가 전혀 이해할 수 없는 전공 서적이라도, 그 내용이 한글로 되어 있다면 적어도 읽을 수는 있는 것과 같다.

실제로, 아까는 그 모습이 정확히 보이지 않던 하인델의 망토의 형태는 물론 질감까지 정확히 인지되는 상황!

덕택에 나는 마법에 대해 개뿔 모르고 있음에도 네 대마법사는 각기 다른 방식으로 내 상태를 파악하고 있다는 사실을 [알] 수 있었다.

우우-

웅!

잠깐의 시간이 지나고, 따분한 일에 끌려 나와 의욕이라곤 조금도 보이지 않던 얼굴에 경악이 깃든다.

"아니…… 이게 뭐야?"

"육체는 완전히 멀쩡해. 아니, 이 정도면 환골탈태도 한 수준 아닌가? 그런데……."

"영맥도 정상적이고 몸 안에서는 마나가 흐른 흔적이

선명한데. 아니 어떻게 이렇지?"

"마나가…… 이 세상으로부터 유리(遊離)되어 있어요. 내공을 품고 있지만…… 그 내공은 외부의 것이 아니에요. 자신의 [안]에서 끌어오는 마나라니 살아 있는 차원문도 아니고, 이건……."

네 대마법사가 진지하게 작업에 집중하자 수백 개의 마법진이 연신 떠올랐다 사라지기를 반복한다.

"영혼이다. 이건 영혼의 문제라서 고작 영단을 먹이는 걸로는 해결이 안 돼."

"이거 설마 아바타(avatar)인가? 하지만 아바타면 오히려 이 세상과 더 긴밀히 연결되어 있어야 할 텐데 이렇게 명확하게 분리되어 있다니……."

"웃기는 게 몸 자체는 현실에 있어서 마법에 면역인 것도 아냐. 아, 정신계나 저주 계열은 죽어도 안 먹히긴 하겠다. 다른 차원에 있는 상대한테 걸 수 있는 출력이 아닌 바에야……."

연신 마법을 사용하며 의견을 나눈다.

"마나 증폭제 주사."

"농도는?"

"0.55."

"술식예장 가동합니다."

내 몸에 주사기를 꽂거나 이상한 문신을 새겨 넣기도 한다. 다행히도 고통은 없다. [관점]의 세계에서는 모든 것이 단지 정보로 인식되기 때문이다.

소설책에서 고문당하는 장면을 본다고 실제로 내가 아픈 건 아니지 않은가?

"실패! 답답하군. 한 번 죽여서 되살리거나 영체를 뽑아 보면 안 될까? 그럼 더 깔끔하게 파악할 수 있을 것 같은데."

"게임 마스터님께 뒤지고 싶으면 그렇게 해도 되겠지?"

"그게 아니더라도 표본이 한 개뿐인데 무슨 무식한 소리를……."

[관점] 상태로 수술 과정을 지켜본다.

한 시간, 두 시간, 세 시간이 지나고.

하루, 이틀, 사흘, 나흘…… 시간이 물처럼 흘러간다.

'와.'

나는 조금의 흔들림도 없이 작업을 이어 나가는 대마법사들의 모습에 절로 신음이 나온다.

'괜히 시간을 멈춘 게 아니네.'

대마법사들이 온갖 장비와 영초, 마나석 등을 물처럼 쓰고 있음에도 작업 시간이 상상을 초월한다.

여기 있는 이들 모두가 함께 한 끼 식사하는 권리로 경매를 열 수 있는 귀한 몸이라는 것을 생각해 보면, 지금 이 수술이 가지는 가치에 대해 알 수 있으리라.

'재료비까지 치면……. 그야말로 천문학적인 수준이야. 기가스도 몇 대는 사겠어.'

그리고 그 천문학적인 투자는 기어코 결과를 만들어 내었다.

수술이 시작되고 일주일 후.

샤이닝이 가쁜 숨을 몰아쉬며 말했다.

"완성."

두근. 두근.

허공에 떠 있는 심장이 맹렬하게 뛰고 있다. 수십 개의 궁극 주문으로 둘러싸인 그것은 당연히 내 심장이다.

"이름은 제가 붙여도 될까요?"

플라워의 말에 세 명의 대마법사가 서로 눈치를 보았다.

그러나 이내 수긍한 듯 고개를 끄덕인다.

"좋아. 아무리 생각해도 지분은 그쪽이 제일 높은 듯하니."

"그런데 갓 성룡이라고 하지 않았나? 마력이 너무 많은 것 같은데."

"마법 이해도도 너무 높은데…… 웜급 드래곤도 이 정도는 못했."

"갓 성룡이에요. 1,002살입니다."

눈을 가늘게 뜨는 플라워의 모습에 대마법사들이 궁시렁거린다.

"아니, 그건 좀…… 황금용신이 늦게 본 딸이라도 되나?"

"그렇게 보기에는 그린 드래곤이란 말이지."

"설마 F·D가 다 이 수준인 건 아니겠지?"

"아! 쓸데없는 소리 마시고요! 이 복합 주문의 이름은 차원 송곳 심장(Dimensional awl heart)으로 하겠습니다!"

그 선언과 함께.

쿵!

밖에 나와 있던 심장이 내 몸 안으로 들어갔다.

그리고.

팟!

네 명의 대마법사가 있던 수술실의 풍경이 단번에 지평선이 보일 정도로 넓은 평원으로 뒤바뀐다.

"……어?"

드디어 끝난 수술에 두근두근하고 있던 난 느닷없이 변한 배경에 놀라 신음했다.

"으악! 여긴 어디야?"

"……이렇게 갑자기?"

장소가 어딘지는 알 수 있었다. 내가 늘 찾아오던 내면세계였기 때문이다.

,문제는 그곳에 다른 사람들이 있다는 점이다.

"뭐야? 여긴 어디죠?"

"아, 몸이 이동된 건 아니었군. 일종의 정신세계인가. 하지만 날 이렇게 갑자기 끌고 올 수 있다니. 이것도 [그녀]의 농간인가?"

불청객은 두 명이다. 10대 중후반으로 보이는 소년과 20대 초중반으로 보이는 사내.

'즉, 총 세 명.'

문득 짐작되는 바가 있었기에 일단 손을 들었다.

날 바라보는 두 사람에게 차분히 설명한다.

"흠. 아마 제 사정 때문에 이렇게 된 듯한데. 상황 파악부터 하죠. 저는 킬리언스입니다. 리벤지를 플레이 중입니다."

"앗……! 설마……!?"

"……."

깜짝 놀라는 소년과 뭔지 알겠다는 듯 고개를 끄덕이는 사내.

소년이 먼저 말한다.

"저, 저는 뭉개진 자루입니다. 브, 블레이드&매직을 플레이 중입니다."

'……역시.'

내 짐작이 맞다는 걸 확인한 후 사내를 돌아본다.

그 역시 상황을 파악한 듯 흥미롭다는 표정으로 답한다.

"다크 스타를 플레이 중이다. 이름은…… 그래."

붉은 로브의 사내가 씩 웃으며 말했다.

"멀린이라고 불러라."

차분한 목소리에 생각한다.

'닉네임이군.'

하기야 멀린이 진짜 이름일 리는 없다. 내 킬리언스만

해도 본명이 아니지 않은가?

어딘지 모를 장소에서 누군지도 모를 상대를 만났는데 바로 실명을 밝히는 게 오히려 이상한 일이겠지.

쿠르릉……

은은한 진동이 느껴진다. 나머지 둘은 눈치채지 못한 듯했지만, 내면세계의 주인인 나는 알 수 있다.

이 시간이 영원하지 않다는 것을.

'정보를 바로 공개해야겠다.'

이곳이 내 내면세계이긴 하지만 모든 게 불명이다.

과연 차원 송곳 심장이 어떤 과정을 통해 그들을 불러온 것일까?

모른다.

온 우주에 퍼져 있던 우리가 모인 이 현상이 얼마나 오래 유지될 것인가?

모른다.

그렇다. 나는 아무것도 모른다.

단지 아는 것이 있다면, 지금 이 상황이 놀라운 우연이 겹쳐 만들어 낸 기적이란 것뿐이겠지.

"……."

순간 기묘한 감각을 느낀 나는 가만히 왼팔을 들었다. 검은 광택을 흘리는 제로섬이 보인다.

나는 제로섬의 가장 아래 있는 설명을 확인했다.

[이벤트 조정 1단계][개방에 100만 포인트 필요.]

'……이벤트.'

아직 개방되지 않은 기능이지만 그럼에도 나는 알 수 있었다. 이 문장에 쓰여 있는 [이벤트]가 바로 지금과 같은 상황을 말하는 것이라는 사실을.

사건(Event). 일상적으로 일어나는 일과는 다른 특별한 일.

이 순간 제로섬은 어떤 성능을 발휘하지는 않았지만, 적어도 지금 이 상황이 이벤트에 영역에 들어선다는 것을 알려 오고 있었다.

'이거 개방 빨리 해야겠다.'

과연 초월병기라는 것인지 개사기 효과의 냄새가 물씬 풍긴다. 잘만 사용하면 드랍 조정 효과보다 더 쓸모 있을지도 모른다.

"……후."

깊이 심호흡한다. 그리고 결심했다. 괜히 정보를 아끼며 시간을 끌 상황이 아니다.

"마나를 느낄 수 없습니다."

"음?"

"네?"

내 난데없는 말에 멀린과 뭉개진 자루가 나를 바라본다. 그러거나 말거나 말을 이었다.

"태어났을 때부터였는지 그 이후인지 모르지만 적어도 15살 때 시청에서 테스트를 받았을 때 폐급 마나 적성이라는 판정을 받았지요."

강제 마나 각성은 34지구에서 10살부터 받을 수 있는 복지 중 하나지만 내 경우에는 확인이 많이 늦어졌다. 내 보호자가 때가 되자마자 시청으로 데려가 줄 정도로 자상한 존재가 아니었기 때문이다.

"그리고 23살. 군대를 전역하기 바로 전날 잠에서 깨어났을 때…… 나는 내가 전혀 다른 세상에 있다는 사실을 알았지요."

이야기를 시작한다. 내 느닷없는 이야기에 황당한 표정을 지었던 멀린과 뭉개진 자루도 자세를 고쳐 차분히 이야기를 경청했다.

"현실의 내 몸과 완전히 똑같은 몸으로 시작했습니다. 어쩐 일인지 싸구려 천옷을 입고 있더군요. 나는 거기에서……."

빠르게 이야기를 진행한다. 그 내용을 들은 두 사내가 이야기에 호응한다.

"세상에! 20년을 그대로 살았다고요?"

"역시 게임 속에서는 나이를 먹지 않는 건가. 지금도 연구는 게임 속에서 하는 상황이긴 했지만 수십 년 단위로 살아도 아무 문제가 없을 정도라니."

나는 이야기를 남김없이 털어놓았다.

아르데니아에서 치열한 삶을 살아온 끝에 영주가 된 이야기.

갑자기 열린 게이트. 그 와중 깨닫게 된 로그아웃.

그리고 과금력(課金力)에 대한 이야기.

"과금력이라. 그렇군. 그런 식의 개념도 있을 수 있었어."

"현실에서 가상 세계의 힘을 휘두르고 심지어 아이템도 가지고 나올 수가 있다니……!"

차분히 듣던 둘 모두가 경악한다. 아무래도 이 정보를 모르고 있던 모양이니 내가 꽤 큰 정보를 흘린 셈이다.

'하지만 이것도 투자다.'

나에게는 확신이 있다.

'나는 안전해.'

34지구에서 게임신의 사도가 된 나를 노릴 수 있는 존재는 대우주를 통틀어도 몇 없다. 여기에서 몸과 정보를 사리는 쫄보 플레이를 할 이유가 없다는 뜻이기도 하다.

나는 말을 계속했다.

"그리고 주식이 있으면……."

"요번 몬스터 사태에 등장한 몬스터를 잡으면……."

"초월급 몬스터의 등장은……."

그야말로 모든 걸 풀어 놓는다. 두 사내는 내 말을 끊지 않고 차분히 그것을 들었다.

그리고 이야기가 끝났을 때 멀린이 손을 든다.

"덱을 뽑아도 되겠어?"

"해를 끼치지 않는다면야."

"그럼."

웅!

멀린이 손짓하자 그의 주변에 여덟 개의 카드 뭉치가 떠오른다. 그가 그것 중 하나를 집어 들자 나머지 7개의 카드 뭉치는 사라진다.

촤라락!

허공에 카드 뭉치가 고정되고 거기에서 다섯 장의 카드가 그의 앞에 늘어선다.

각도상 내게도 카드가 보여야 할 위치였지만 3자인 내 입장에서는 앞에서 봐도 뒤에서 봐도 카드 뒷면이 보인다.

우우웅!

멀린이 오른손을 허공에 들어 올리자 마나가 집중되더니 하나의 마나 구슬로 변한다.

"알아서 턴이 진행되는 게임과 달리 현실에서는 마나가 자동으로 차지 않는다. 이렇게 직접 일정량의 마나를 쏟아부어 마나 구슬을 만들어야 하지. 그렇게 되면 1턴이다."

그렇게 말한 뒤 자기 앞에 늘어서 있는 카드를 뽑아 선언한다.

"심해의 마나 임프!"

[마나! 마나를 내놔!]

난데없이 허공에서 귀여운 이미지의 꼬맹이가 등장하더니 마나 구슬을 집어삼킨다. 그러나 그냥 없앤 것은 아니어서 녀석이 꺼억 하고 트름하자 텅 비어 있는 마나 구슬 하나가 더 생긴다.

"마나 회복의 비!"

쏴아아!

푸른색 비가 쏟아지자 비어 있던 마나 구슬이 파랗게 차오른다. 멀린이 다시 카드를 사용한다.

"마나 생장!"

두 개의 마나 구슬이 텅 비더니 두 개의 빈 마나 구슬이 추가된다. 이로써 그는 빈 마나 구슬 네 개를 가지게 되었다.

"마나 회복의 비!"

쏴아아!

푸른색 비가 쏟아지자 비어 있던 마나 구슬이 파랗게 차오른다. 멀린이 다시 카드를 사용한다.

"마력 폭풍우!"

쿠오오!

순간 모든 마나가 소모되더니 비바람이 몰아쳐 그의 필드와 핸드를 훑고 지나간다. 그러나 어차피 텅 빈 핸드였기에 피해 없음.

[끼야악!]

필드에 나와 있던 심해의 마나 임프가 쓸려나간다. 피

해라면 피해지만 그 이상의 효과가 있었다.

좌악좌악좌악좌악좌악!

덱에서 여덟 장의 카드가 뽑힌 것! 멀린이 그중 하나를 뽑아 들었다.

"마나 회복의 비!"

마나가 가득 차오른다.

"……."

그 꼴을 어이가 없어 가만히 지켜보았다.

'아니…… 미친놈인가?'

그가 직접 주입한 마나 구슬은 한 개뿐.

아직도 1턴이라는 소리다.

"먼저 묻겠어. 지금까지 한 이야기가 모두 사실이야?"

멀린의 말에 고개를 끄덕인다.

"전부."

"확인하겠어. 진리의 가호!"

그가 카드를 뽑자 허공에 백색의 빛이 뿜어진다. 그게 무슨 효과인지는 알 수 없었지만 그 빛을 보고 멀린이 웃는다.

"하하하! 정말 대담하군. 심지어 숨긴 이야기도 거의 없어. 이렇게 모든 패를 까 버리다니……."

그는 잠시 고민하나 싶더니 이내 고개를 끄덕인다. 여전히 하늘에는 백색의 빛이 오로라처럼 떠 있는 상태다.

"대등한 정보를 풀도록 하지. 지구 시간으로 10년 3개월 전. 자고 일어났더니 갑자기 마나가 인식되지 않더군."
깜짝 놀랄 이야기였다.
"원래는 마나를 쓸 수 있었단 말입니까?"
즉, [그녀]의 사도 지정이 태어날 때가 아니라 그냥 살아가고 있는 대상에게도 걸린다는 뜻이 아닌가?
멀린이 고개를 끄덕인다.
"그래. 문자 그대로 아무 전조 없이 마나를 쓸 수가 없었다. 물론 그 상태로 계속 있진 않았어. 그날 저녁 내 스스로를 수술해 해결했으니까."
여상한 말투에 어이가 없어 묻는다.
"스스로를 수술했다니 무슨 말도 안 되는…… 제 경우에도 드래곤을 포함한 대마법사 네 명이 일주일을 달라붙어서……."
"나는 우로보로스의 교수야."
"……."
반박의 말이 쏙 들어간다.
대우주 최고 최강의 학문 기관 우로보로스.
부르는 사람에 따라 학파라고도, 학원이라고도, 대학이라고도 불리는 그 천외천의 단체는 [진리의 탐구자]라고 불리며 무학, 마학, 과학, 철학을 포함한 온 세상의 모든 지식을 품고 있다 알려진 곳이다.
이 살벌한 장소는 학생 중에도 초월자가 있을 정도인데 심지어 교수이기까지 하면 그 능력은 이미 검증된 것이나 다름없다.
대우주에서 누구도 대체할 수 없는 독자적인 영역을 개척한 존재가 아니라면 어찌 우로보로스의 교수가 될 수 있겠는가?
직업 자체가 능력의 증명이나 다름없는 일!
내가 황당해하거나 말거나 멀린은 설명을 이어 나갔다.
"나 역시 게임 속에 들어갔다. 그리고 들어간 즉시 그곳이 게임이라는 것을 눈치챘지."
"저, 저기 그냥 이세계라고 생각할 수도 있는 거 아니에요?"
뭉개진 자루의 태클에 멀린이 고개를 흔든다.
"그럴 수가 없었다. 왜냐하면…… 다크 스타는 내가 만든 게임이니까."
"……."
"……."
어이가 없어 입이 절로 벌어진다. 뭉개진 자루도 멍한 표정을 짓고 있었다.
"개인 연구를 하다가 심심해서 만든 게임이지만 아무리 그래도 직접 만든 건데 눈치 못 챌 이유가 없지. 심지어 그때의 다크 스타는 혼자서 만든 게임에 서비스할 생각도 없어서 누군가에게 보여 준 일도 없었지."
'아니 보통 심심하다고 게임 하나를 뚝딱 만드나?'
"때문에, 난 그 세상에 불려 간 조건이 게임 개발이라고 생각했는데 지금 보니 아닌 모양이네."

멀린의 말에 뭉개진 자루가 잠시 멍하니 있다가 퍼뜩 정신을 차린 듯 물었다.

"자, 잠깐만요! 혼자서 만들었다니. 그렇게 되면……?"

"그래. 아무 때나 수정과 업데이트, 패치를 할 수 있다. 킬리언스의 설명으로 비유하자면 나는 이미 주식을 100% 가지고 있는 상태니까."

"……."

무시무시한 일이다. 문자 그대로 게임 내에서 마음대로 아이템을 찍어 내고 패치도 유리한 방향으로 할 수 있다는 말이 아닌가?

그러나 뜻밖에도 멀린은 고개를 흔들었다.

그리고 나를 보며 말했다.

"지금 보니 너는 그 과금력이라는 것에 노예가 되어 있겠군."

"……."

크게 틀리지 않은 말. 침묵하는 내 모습에 멀린이 한숨 쉬었다.

"역시 그런가. 그런데 나도 상황은 마찬가지야."

"마음대로 할 수 없다는 겁니까?"

"그래. 어쩌다 보니 네이밍 센스가 비슷하게 되었네. 나는 흥행력(興行力)이라고 부르고 있다."

직관적인 네이밍에 깨닫는다.

"게임을…… 많은 사람이 해야 하는군요."

"그 정도면 문제가 없는데 그게 아니야. 많이 팔려야 해! 게임으로 돈을 엄청나게 벌어야 한다고! 아! 진짜 스트레스 받아!"

여태껏 차분하던 멀린이 짜증을 부린다. 세상 어려울 것도 두려울 것도 없던 천재가 어찌할 수 없는 현실 앞에 좌절하는 모습이다.

"아니 일러도 예쁘고 스토리도 괜찮고 밸런스도 최선을 다해 잡고 세계관도 촘촘한데 왜 이렇게 안 팔려! 맘 같아서는 무료로 뿌리고 싶은데 게임으로 돈을 벌어야 하니 그것도 안 되고!"

한껏 짜증을 부린 멀린이 나를 보며 우울한 표정을 짓는다.

"과금력이라니 부럽다…… 돈만 벌면 되다니."

"아, 아니. 저도 돈 엄청나게 벌어야 해서 힘들거든요?"

"돈이 뭐가 문제야. 열심히 일하면 되는 문제 아닌가?"

속편한 소리에 항의한다.

"그 일을 엄청 많이 해야 합니다!"

그러나 멀린은 동의하지 않는 듯 하다.

"대신 네 게임은 알아서 흥행시키는 게임사가 있을 거 아냐. 돈이야 일주일에 1억 게릴트도 벌 수 있다고. 하……. 돈으로 해결 볼 수 있으면 나도 전설 카드 막 휘두르고 다닐 텐데."

"……."

우주 공용 화폐 게럴트를 지구 돈으로 환산하면 약 3천 원 정도 된다.

즉, 1억 게럴트면 3,000억. 단순히 일을 열심히 하는 것만으로 주당 3,000억 원을 벌 수 있다는 소리다.

'와, 장난 아니네.'

기막혀하는 순간이었다.

쿠구궁!

갑자기 들려오는 천둥소리에 말한다.

"슬슬 연결이 끊기려는 모양이군요."

내 말에 멀린이 하늘을 보더니 책 한 권을 꺼내 든다.

우웅!

마력이 움직인다. 카드를 사용한 스펠이 아닌 본신 능력으로 사용한 마법. 잠시 눈을 감고 있던 그는 차분한 표정으로 말했다.

"마력 파동을 저장했어. 다음에는 내가 집결시킬 수도 있겠다. 킬리언스, 너는 어때?"

"요번 일은 약간 우연인지라. 다만 가능할 듯하기는 합니다."

"그래. 그러면."

다음을 기약하며 인사하려는 순간이었다.

"형님들!"

우리의 대화를 거의 듣기만 하던 뭉개진 자루가 느닷없

이 무릎을 꿇었다. 나는 어이가 없어서 반문했다.

"형님?"

"저, 저는 드릴 정보가 모자랍니다! 저희 대륙에는 블레이드&매직이 그, 서비스? 라는 걸 하지 않아서 과금이라는 것도 할 수가 없어요! 전설의 드래곤이나 대마법사 뭐 하여튼 그런 이야기를 하시는 걸 보니 두 분 다 정말 위대하고 강대하신 분이라는 것을 알겠습니다! 어떻게든 빚을 갚을 테니 저를 도와주십시오!"

그렇게 말하고는 머리를 쾅 하고 바닥에 댄다.

"이, 이렇게 대가리 오지게 박습니다!"

"이건 뭔 말투야……."

멀린이 떨떠름한 표정을 짓는다. 나는 문득 궁금해져서 묻는다.

"무슨 도움을 말하는 겁니까? 폐급 마나 적성을 해제해 달라는?"

"네? 아, 아니요. 마나는 어차피 선택받은 몇 명만 각성하는 게 아닙니까?"

"……."

"……."

나는 멀린과 얼굴을 마주 보았다. 그도 나와 같은 생각을 한 모양이다.

"아니. 설마, 하위 문명인가?"

그러고 보니 게임 능력을 가진 것치고는 뭉개진 자루의

기세나 체형이 너무나 초라하다. 험난한 게임 세상에서 지금껏 살아왔다는 사실이 신기할 정도.

나는 여전히 머리를 박고 있는 그에게 물었다.

“그래서 뭘 도와 달라는 거지?”

“브, 브론즈 랭크에만 도달하게 해 주십시오! 아이언 랭크에서는 해금되지 않는 기능이 너무 많…….”

우르릉!

쿠궁!

그때 하늘이 갈라진다. 나는 급한 와중에도 약간의 투자를 하기로 했다.

“너. 무기 뭐 쓰냐.”

“주, 주력 무기는 딱히 없습니다! 주로 칼을 쓰긴 합니다!”

“공격력과 방어력 중 뭐가 더 중요하지?”

“일단 살아남아야 합니다!”

“그렇다면 받아라.”

나는 클래스 카드, 센티넬(Sentinel)을 넘겼다.

‘블레이드&매직이면 가능할 거야.’

철저한 실력 게임인 블레이드&매직에는 자체적인 레벨 시스템이 없다. 전공으로 구매하는 장비와 버프가 있을 뿐이니 직업을 씌울 수 있다는 뜻!

과연 녀석이 카드를 붙잡자.

-나는 인류의 번견(番犬)이니, 내가 눈 감는 순간은 오직 죽을 때뿐이리라.

영웅급을 뜻하는 보랏빛이 터졌다가 사라진다.

"이, 이건?"

"몬스터를 잡아 봐라. 레벨이 오르는지는 나중에 말해 줘."

거기까지 말하는 순간.

번쩍!

눈부신 빛과 함께 눈이 떠진다.

"깨셨어요?"

"아……."

등에 와 닿는 푹신한 질감을 느끼며 황급히 자리에서 일어난다. 나는 병원 침대에 누워 있었는데, 책을 읽고 있던 녹색 머리칼의 미녀가 내 앞에서 환히 웃는다.

크로매틱 드래곤의 세 번째 머리인 그린 드래곤 플라워.

그녀는 나긋한 목소리로 내 등을 받쳐 주며 말했다.

"몸 상태는 좀 괜찮으세요?"

"……아."

대답하지 못한다. 온 세상을 가득 채우고 있는 새로운 감각에 정신을 차리지 못하는 상태였기 때문이다.

"아아……."

몰아치는 마나. 몸 안을 휘돌며 외부 세계와 소통하는 진기의 흐름.

"세상에."

그렇다.

나의 세계가, 격변해 있었다.

"후후. 잘된 모양이네요."

굳어 있는 내 모습에 플라워가 웃는다. 고개를 돌려 보니, 주변의 모든 것을 다 합친 것보다 더욱 격렬한 흐름이 바로 내 눈앞에 있었다.

'놀랍군.'

바다보다 넓고 깊은 마나가 보인다. 느껴진다.

그저 침대에 걸터앉아 있을 뿐인데도 자연계의 모든 마나를 강제하는 거대한 흐름.

'이게 드래곤인가.'

심지어 그냥 드래곤도 아니다. 오분의 일에 불과하다고는 하나 그녀는 색채룡들의 원형이라고까지 불리는 크로매틱 드래곤이 아니던가?

"오…… 저를 보시는 거예요? 이제 막 영성이 띄었을 텐데 대단하시네요."

플라워는 푸근하게 웃으며 마력을 일으켰다.

웅혼한 기운이 내 온몸을 휘감고 지나간다. 명확히는 몰라도 내 상태를 확인하는 모양이다.

"수술은…… 잘 끝난 겁니까?"

"성공적으로 마무리되었어요. 대마법사가 네 명이나 투입되었는데 결과가 실패면 게임 마스터님께 면목이 없죠."

플라워가 내 머리를 쓰담쓰담한다. 나는 뜬금없는 스킨십에 움찔했지만, 그 손을 쳐 내기도 애매한 상황이었기에 차분히 설명을 들었다.

"그냥 뭉뚱그려 말하지만 사실 폐급 마나 적성의 종류는 꽤 다양한 편이에요. 영맥이 너무 좁아 마나를 컨트롤하면 육신에 장애가 생기는 영맥협소증부터, 상극의 속성을 타고나 몸 안에서 충돌이 일어나는 반발체. 마력이 과해서 영감이 오히려 짓눌리는 마력비대증까지…… 그런데 재연 씨의 증상은 그중에서도 특별했어요."

플라워가 내 가슴팍에 손을 올린다. 얇은 병원복 너머로 닿는 손길에 심장이 쿵쾅거린다.

그녀에게 성적인 흥분을 느껴서가 아니다. 내 심장이 그녀의 장대한 마력에 반응하고 있다.

"재연 씨의 육신에는 아무런 문제가 없어요. 영맥은 튼튼하고 심장과 단전도 영재급, 아니 거의 천재급이죠. 문제는 영혼이었던 거예요."

"……."

짐작하고 있던 일이다. 내 [안]에 자리 잡고 있는 아르데니아는 기존의 영능학을 깡그리 무시하는 존재. 그 안의 화점을 점령할 때마다 확장되는 무량구층은 아르데니아 자체가 나의 영혼의 근간이라는 증거나 마찬가지였다.

"후후. 진짜 엄청 고생했어요. 영구적인 워프 게이트를 만든다는 느낌으로 작업해야 했거든요. 재연 씨의 영혼은 물리 세계와 동떨어진 채널을 가지고 있어서 영감을 일깨우기 위해서는 차원을 넘어서는 수준의 연결이 필요했지요. 저도 몇 번 본 적 없는 희귀 케이스예요."

플라워의 말에 깜짝 놀란다.

"저 같은 사람이 또 있었단 말입니까?"

"사람 중에는 없었어요. 차원의 틈새를 헤엄치는 혼돈수(混沌獸)나 외신(外神)들이 흔히 가지는 특성이거든요."

"……."

당황해 입을 벌린다.

'아니, 당신 갓 성룡 코스프레 중 아니었어?'

이제 막 초월지경에 오른 성룡이 하나하나가 엔간한 초월자를 넘어서는 혼돈수와 아예 상급 초월자에 준한다는 외신의 특성을 왜 본 것처럼 표현한단 말인가?

그러나 내가 황당해하거나 말거나 플라워는 차분히 설명을 마무리했다.

"재연 씨의 심장…… 그러니까 차원 송곳 심장(Dimensional awl heart)은 박동할 때마다 재연 씨의 영혼과 육신을 연결합니다. 재연 씨는 차크라 수련자시죠?"

"네."

내 대답에 플라워가 내 가슴을 가볍게 쓸어내렸다.

"단단해…… 신체 요소를 각성하셨네요."

"아, 그, 네."

'그걸 만져서 확인한 건가?'

당황하면서도 고개를 끄덕이자 그녀가 말했다.

"그렇다면 통제 관련 요소를 각성하거나 하는 식으로 심장을 컨트롤 할 수 있으실 거예요. 혹 정신계 주문에 당하시거나 저주에 걸리시면 잠시 심장을 멈추는 것으로 다 떨쳐 낼 수 있죠."

"오……."

마나를 감지할 수 있는 대신 정신계 면역에 대해서는 어느 정도 포기하고 있었는데 그것도 챙길 수 있다는 말이다.

"으후……."

그때 플라워가 내 목덜미에 고개를 가져다 대더니 깊게 숨을 들이쉬었다. 나는 약간 뜨악한 기분이 들어 차렷 자세를 취할 수밖에 없었다.

'어…… 차, 착각인가? 약간 치대는 느낌이…….'

그러나 그러거나 말거나 플라워는 여전히 차분한 목소리로 말을 이었다.

"뭐, 수술에 관한 이야기는 이 정도면 됐어요. 연락처를 드릴 테니 혹 문제가 생기면 그리로 문의해 주시면 돼요."

"아, 감사합니다. 번거로우실 텐데."

"뭘요. 재연 씨는 엄청 귀여운 데다…… 저희 플랫폼 기대주이기도 하시잖아요?"

"……네?"

앞의 말에 의문을 표했는데 플라워는 뒷말을 의문이라고 생각한 모양이다. 그녀는 배시시 웃으며 딱 하고 손을 튕겼다.

"야옹!"

체다가 울더니 메시지가 왔음을 알린다. 나는 플라워의 턱짓에 녀석의 코를 눌렀다.

[안녕하세요. 작가님!^^ 도서출판 초록용용이입니다.]

"아."

익숙한 문장에 놀란다.

"아니, 설마 오룡넷?"

"설마는 제가 설마예요. 진짜 몰랐어요? 이름부터가 오룡넷인데."

"아……."

"물론 나머지 넷은 문학에 관심이 없어서 저 혼자 운영하기는 하지만요."

플라워는 다시 배시시 웃으며 말했다.

"재연 씨의 작품들에 대해서는 예전부터 관심이 많았

어요. 여러모로 특이하잖아요? 후원 내역도 그렇고."

"아! 저 혹시 그 후원자들은……."

"후원자들의 신상에 대해서는 말할 수 없어요."

내 질문을 빤히 예상한 듯 가볍게 끊는다.

"대신 힌트를 드리자면 인간은 아니에요."

"좀 그런 느낌이긴 했지요."

분명 개인이 아닌 다수인데 한 작품당 단 한 번의 후원. 그것도 고작 1~2초 안에 다 읽고 막대한 돈을 뿌리는 후원 방식은 누가 봐도 정상이 아니다.

'문학에 관련된 신선(神仙)이나 언터쳐블인가? 아니면 드래곤?'

여러 가지 가정이 떠올랐지만, 그 생각을 길게 이어 갈 수는 없었다. 플라워가 내 가슴팍에 머리를 대더니 다시 깊이 숨을 들이쉬었기 때문이다.

"후우……."

달콤한 숨이 가슴팍을 간질인다. 그녀의 풍만한 가슴이 내 팔을 기분 좋게 압박했다.

'아니, 이게 뭐 하는 거지? 날 유혹하나?'

그러나 그런 내 생각이 무안할 정도로 그녀의 눈은 순진무구하다.

녹색의 긴 장발. 볼륨감 있는 몸매와 차분한 외모는 누님에 가까운 것이었지만 어째선지 표정과 태도는 아이에 가깝다.

누가 봐도 오해할 수밖에 없는 행위를 하고 있으면서도 아무런 인식이 없는 표정.

'이, 이게 그건가? 드래곤들은 인간을 펫 정도로 인식하는 경우가 있다던데…….'

길을 가다 귀여운 동물을 만나면 별생각 없이 그것을 손대는 사람이 있다. 단순한 물건에 불과한 스마트 펫 뿐만 아니라 살아 있는 반려동물도 귀엽다며 머리를 껴안고 쓰다듬고 하는 것!

나를 멋지다고 하는 게 아니라 귀엽다고 표현하는 걸 보면, 이 스킨십도 그런 종 차이로 인해 벌어진 일로 보였다.

과연 플라워는 이내 머리를 떼고 웃었다.

"아, 좋았다! 전해 드릴 말은 다 했으니 저는 이만 가볼게요! 다시 말하지만, 심장에 문제가 있으면 바로 연락하시고요. 얍!"

"야옹!"

플라워의 손짓에 체다가 운다. 그녀의 번호가 등록되었다는 뜻이다.

"여러모로 감사했습니다."

"뭘요. 저도 페이 받고 하는 건데. 아! 혹시 신작 계획 있으신가요? 엄청 빨리 쓰시던데."

플라워의 말에 고개를 끄덕인다.

"제법 있긴 합니다."

대충 수백 작품 정도.

"다행이네요. 다음 달에 오룡넷에서 공모전을 열어요. 총상금 100억짜리니까 관심 있으면 참여해 보세요."

"100억……."

혹하는 내 모습에 플라워가 귀엽다는 듯 꺄르르 웃는다.

"총상금이에요. 총상금. 많은 작가에게 나눠 주는 형식이니 막 엄청 거금이 생기거나 하지는 않아요."

우우웅!

슬쩍 물러서는 플라워의 주위로 마나가 몰려든다. 예전이라면 아무것도 몰랐겠지만, 지금의 나는 거대한 흐름이 아주 먼 곳과 이곳을 연결하는 것을 느낄 수 있었다.

"그럼 다음에 또 뵈어요!"

팟!

인사와 함께 사라진다.

"여러모로 영문 모를 녀석이네……."

구시렁거리며 자리에서 일어난다. 최상의 몸 상태와 강렬한 영감이 나를 들뜨게 했다.

"공모전이라."

좋은 타이밍이다. 때마침 나 역시 공모전을 진행 중이기 때문이다.

"체다."

리벤지를 켜 단번에 35억을 과금하자 가득히 차올랐던

잔고가 단번에 300만 원으로 변했다.

'요번 달 패키지는 다 떨어졌군.'

때문에 전부 다이아로 구매했다. 어차피 과금력을 늘리는 과정이니 아무래도 상관없는 일이다.

"로그인."

공모전을 진행해야 하는 순간이었다.

*　*　*

[완벽한 요새 도시(영웅)를 불꽃의 신전(전설)으로 업그레이드 합니다!]

〈불꽃의 신전(전설)이 신화의 영역으로 승격합니다!〉

〈성주의 선택이 진행 중입니다.〉

테마를 선택한다.

'작물 재배용으로 세계수의 성 정도는 수목원 콘셉트로 할까? 아냐. 식량은 썩어 돈다.'

결국 내가 선택한 콘셉트는 뻔하다.

〈강철과 거인의 성!〉

〈기가스 랜드(신화)가 등장합니다!〉

랜드웜을 처치하고 차지한 대지성을 제외한 6개의 성

을 신화급으로 승급시키고 방어 포대와 수성 오브젝트를 설치했다.

기가스 공장이나 체험관은 짓지 않았다. 돈이 모자라 성 하나를 빼고 승급시키는 상황이니 당연한 일. 나중에 여유 자금이 생기면 건설할 생각이었다.

두두두두!

바닥에 뚫려 있는 비탈진 도로를 따라 다섯 필의 말이 모습을 드러낸다.

하나같이 기세가 등등한 전마(戰馬)였지만, 녀석들의 뒤에는 커다란 수레가 매달려 있다.

"공모전 작품들입니다!"

"먼 길 오느라 수고했네. 몇 작품이지?"

"총 112작품입니다!"

돈이 부족한 관계로 대지성은 여전히 고급 등급의 성에, 이주민도 받지 않았지만, 황제인 내가 머물고 있기 때문인지 100명 정도의 친위대가 상주하게 되었다.

혼자일 때와 달리 이런저런 물자가 필요하게 되었지만 보급에는 별문제 없다.

랜드웜이 만들어 놓은 지하 대로와 수만 마리 이상 보급된 탑승형 펫, 그리고 그 펫을 타고 다니는 플레이어들의 인벤토리가 존재했기 때문이다.

쿵!

집무실 책상 위에 한 무더기의 종이 뭉치가 올라온다.

책으로 제본되지 않은 원고들.

나는 그것 중 제일 위에 있는 녀석을 잡아들었다.

제목: 〈황금 마탑 신화〉

지은이: 〈진리의 탐구자〉

나는 모든 작가가 닉네임으로 작품을 제출하도록 했다. 표면적으로는 오직 작품으로 평가하겠다는 이유였다.

"그런데 이건 척 봐도 누가 썼는지 알겠네."

헛웃음 나왔지만, 굳이 질책할 마음은 없었다. 닉네임으로 작품을 제출하게 한 것은 그저 작가 아이디를 따로따로 짓기 귀찮았기 때문이니까.

"어디 보자……."

나는 원고를 펼친 뒤 간단히 수인을 맺었다.

필사(筆寫). 가속(加速), 접문(接門). 개방(開放).

폭풍집필(暴風執筆).

다른 차크라 수련자들이 보면 거품을 물 정도로 사치스러운 술식을 완성한 후 책상 옆에 대기 중이던 플라워를 돌아보았다.

"고마워. 후속 작품들도 모이는 대로 전달해 달라고 하고."

"네, 폐하."

플라워가 김이 모락모락 피어오르는 잔을 내 앞에 내려두고 집무실을 나선다.

"플라워라."

문득 그녀와 같은 이름의 그린 드래곤이 한 말이 떠오른다.

"총상금이에요. 총상금. 많은 작가에게 나눠 주는 형식이니 막 엄청 거금이 생기거나 하지는 않아요."

그 말은 이번 공모전이 승자 독식의 구조가 아니라는 뜻이다. 100억 규모의 상금 중 1등이 50억을 먹는 그런 식이 아니라 1등에게 5억 정도 물려주고 '많은 작가'에게 두루두루 상금을 주겠다는 것.

즉, 너무 기대하지 말라는 뜻이지만.

'상관없다.'

그렇다. 상관없는 일이다.

왜냐하면.

내가 바로 그 '많은 작가'였으니까.

chapter2.

공모전

chapter2.
공모전

"로그아웃."

타다다다닥!

즉시 지구로 돌아가 키보드를 두드린다. 몇 개의 주문이 걸린 영자식 키보드에 소나기 쏟아지는 소리가 난다.

'좋아. 잘 입력되는군. 250만 원이나 썼는데 잘되어야지.'

이번 작업을 위해 키보드까지 새로 샀다. 확률로 쳐도 영웅급 클래스 두 개는 뽑을 수 있는 뼈아픈 지출이었지만 투자라는 생각으로 감내했다.

'음성 인식으로는 어림도 없고 뇌파 인식도 생각보다 느려. 역시 타자가 최고다.'

음성 인식을 못하게 되었기 때문에 책 읽어 주기 콘텐

츠도 잠시 중단. 한동안은 공모전에 집중하기로 했다.

파바바박!

새 키보드의 튼튼함에 익숙해질수록 타자가 점점 빨라진다.

'일차적으로 전달된 작품 수는 112개.'

그리고 공모전 특성상 그 모든 작품이 5권 이상이었으니 아무리 적게 잡아도 700권이 넘는 분량이다.

심지어 지금 이 순간에도 아이언 캐슬을 비롯한 각 도시에서 작품이 달려오는 중이 아니던가?

공모전에 한 작품이라도 더 욱여넣으려면 최선을 다해야 한다.

두두두두두두!

그날부터 매일매일 미친 듯 필사를 이어 나갔다. 하루 24시간 동안 리벤지 캐릭터의 인벤토리 정리하는 시간을 제외한 모든 시간을 필사에 쏟아부었다.

"와, 빠르다. 진작 이렇게 할걸."

처음에는 좀 헤맸지만, 차크라 술식에 완전히 익숙해지고 나자 하루에 250만 자씩 찍어 낼 수 있었다.

250만 자!

권수로 치면 20권이다. 앉은 자리에서 매일매일 20권씩 책이 완성되는 것이다.

"와. 이건 공장 수준이 아닌데."

인류 역사가 시작된 이래 이렇게 책을 많이 써낸 사람

이 존재하기는 할까? 아마 없을 것이다. '물론 나는 쓴 게 아니라 베낀 것이긴 하지만.'

두두두!

두두두두!

원룸에서 단 한 발짝도 나가지 않은 채 필사를 이어 나간다. 온갖 뉴스에서 내 이름이 쏟아지는 상황이니 연예인으로서 더 적극적으로 움직여야 하는 타이밍이라고 생각하겠지만, 내 생각은 좀 달랐다.

'차라리 박혀서 돈이나 버는 게 낫다.'

인지도가 미친 듯이 올라 나에 관한 관심이 폭풍우처럼 몰아치는 이 상황이 마냥 좋을 리 있겠는가?

[한영 고등학교 제 43회 동창회 알림.]

[나 기억해? 요새 잘나가는 모습 보기 좋다.]

[친구들이 오빠 얼굴 한번 보고 싶다고 사정을……]

[일진사냥꾼. 네 과거를 알고 있다.]

어떻게 알고 별별 연락이 다 날아온다. 통화 연결이 되지 않자 문자라도 날아오는 상황. 물론 신경 쓰지 않았다. 어차피 다 끊긴 인연들이었기 때문이다.

다만 딱 하나 거슬리는 연락이 있었다.

[신왕(神王)의 피를 이은 자. 고향 별과 민족의 부름을

받으라.]

“염병.”

언제고 이런 일이 일어날 거로 생각했음에도 절로 욕이 나온다. 문제는 중, 고등학교 동창회 따위와 달리 98지구 출신의 이민자로 이루어진 천상회(天上會)에는 걸리는 게 하나 있었다.

‘어머니…… 아직 저놈들하고 연락이 닿겠지.’

내가 14살이 되었을 무렵.

여느 때처럼 어머니를 구타하던 아버지는 그 앞을 막아서는 내게 패배했다. 그는 분명 익스퍼트 중에서도 상급 속하는 능력자였지만 10년도 넘게 술이나 처먹으며 아내와 자식을 패던 실력으로는 [불가해한 전투 예지]를 각성한 나를 이겨 낼 수 없었다.

그리고 이튿날 아버지가 목을 매 자살했을 때.

어머니는 반쯤 광인이 되어서 나를 원망했다. 모든 것이 내 탓이었고 나는 어머니를 지켜 낸 용기 있는 아들이 아닌 그냥 패륜아일 뿐이었다.

집을 나왔다.

모든 게 지긋지긋했다.

“……아, 몰라.”

아르데니아였으면 무슨 짓을 해서든 움직였을 것이다. 천상회를 박살 내고 어머니가 원하든 말든 구출해 보살

폈겠지.

그러나 여기는 낙원이라 불리는 34지구. 중학교 때 가출한 나도 삶에 아무 어려움이 없었을 정도로 완벽한 복지 국가다.

내가 방치한다고 어머니가 굶어 죽는다거나 살기 어렵다는 일은 있을 수 없다는 뜻이다.

물론 천상회 놈들이 어머니를 가지고 나를 협박하려 들 수도 있겠지만.

'웃기지도 않는 소리.'

나는 아무것도 모르고 집안에만 갇혀 있던 어린아이가 아니다. 신고는 한순간이고 정의신의 신관이 잔뜩 있는 검사들이 움직일 것이다.

그리고 그렇게 되면?

'정의로운 파티가 벌어지게 되겠지.'

나는 문자를 꺼 버리고 다시 집필을 이어 나갔다.

그리고 그렇게 일주일의 시간이 흐르고.

공모전이 시작되었다.

[오룡넷의 '오룡넷 소설 공모전'은 올해로 5번째로 열리는 유서 깊은 공모전이다. 매년 하는 것도 아니고 2년에 한 번씩 열리기 때문에 제5회 오룡넷 소설 공모전은 10주년 기념도 겸하고 있다.]

나는 잠시 쉬는 틈을 타 공모전에 관한 기사를 확인하고 있었다.

'그래서 상금이 늘었구먼.'

작년 대비 3배가 넘는 100억 원 규모의 공모전이라는 말.

[……상금의 규모가 100억 원의 규모로 확대됨에 따라 수상 선정 작품 수도 많아졌다.

오룡넷의 대표인 그린 드래곤 플라워님은 "10주년 기념뿐만 아니라, 많은 작가에게 상금이 고루 돌아가 좀 더 활발한 작품 활동이 일어날 수 있도록 장려하기 위해 [아레나]를 열었어요."라고 설명했다.

제5회 오룡넷 소설 공모전은 기성 작가는 물론 작가를 희망하는 누구나 참여할 수 있으며, 장르는 19금을 포함한 모든 장르로 참여할 수 있고, 편당 5,000자 이상, 최소 30회, 15만 자 이상을 연재하면 된다.

제5회 오룡넷 소설 공모전은 공모전을 시작한 날부터 현재까지 60일간 진행될 예정이며, 개최 당일부터 4천 편 이상 접수되었다. 그리고 현재까지 작년 공모전보다 작품 수가 1,000여 종이 늘어난 누적 참가작 총 6,500종이 접수되면서, 역대 최고의 참여율을 보이고 있다.

이번 공모전에 수상한 작품들은 '2배 인세'를 보장받으며 추가된 인세를 점수로 삼아 오룡상, 대상, 최우수상, 우수상, 장려상, 신인상, 특별상, 초록용용이상이 주어지게 된다.]

"2배 인세."

가만히 이벤트 내역을 살펴보니 플라워가 했던 말이 무슨 말인지 알겠다.

"그러네. 한 명이 다 가지는 방식이 아니라…… 말 그대로 많은 작가에게 나눠 주는 형식이야."

특이하게도 오룡넷의 공모전은 유로 연재를 기준으로 한다.

즉, 드래곤 스톤 1개(100원)짜리 소설을 구매한다면 거기에 100원을 더해서 작가에게는 200원치의 인세를 주는 식이다. 물론 플랫폼 수수료(25%)를 떼 가니 200원이 아닌 150원을 버는 식이지만…… 인세는 틀림없이 2배가 되는 식.

그리고 그 '더해지는' 인세가 바로 저 100억에서 나오는 것이다.

"잠깐만…… 이거 늦어지면 상금 다 떨어져서 조기 종료되는 거 아니야?"

문득 드는 불안감에 서둘러 계정을 만든다.

"으아…… 이것도 일이네."

100개가 넘는 계정을 만들어 각각의 이름으로 소설을

연재한다. 혼자서 여러 개의 소설을 연재해도 공모전 규정상 문제 될 일이 없지만, 한 계정으로 수백 개의 작품이 연재되는 건 누가 봐도 정상이 아니었기 때문이다.

하물며 문체마저 전혀 다른 작품들이 아닌가?

타다닥! 타닥!

112개의 작품을 각각 10편씩 연재했다.

그것만 해도 하루에 1,120편.

수많은 작가와 작가 지망생들이 지원하는 공모전이라 해도 이 정도면 결코 무의미한 규모가 아니다.

그 사실은 가장 먼저 눈치챈 것은 당연히 독자들이다.

↳튀긴감자 : 뭐지? 묘하게 정판이 많은 것 같지 않음?

↳뀨뀨2020 : 재미가…… 없어…… 아니 왜 이런 게 많아지는 거지…… 킬리언스놈 때문인가……

↳정판마니아 : 오 이거 되게 잘 썼네요. 트랜드랑 안 맞기는 하는데 서사가 탄탄해서 좋네요!

당연하게도 인류제국의 작품들은 공모전에서 [킬리언스]와 같은 포지션이다.

'고전을 면치 못했다는 말이지.'

현재 트렌드에 맞지 않는 전개. 구닥다리 소재. 심지어 고전 명작들과 달리 문체나 구성이 그리 빼어나지도 않다.

물론 나는 전혀 좌절하지 않았다.

'예상했던 일이야.'

하루에 20권씩 찍어 낼 수 있는 지금, 그리 대단한 인기는 필요 없다.

최소한의 독자만 확보되어도 충분한.

충분한…….

"음……?"

마차를 통해 새로 도착한 150종의 작품을 옮겨 쓰다가 멈칫한다.

"어, 뭐야…… 재미있는데?"

지금까지 필사하던 작품들과 묘하게 다른 느낌의 작품이 하나 껴 있었다.

제목: 황제기사 네버.

지은이: 네버.

"으아니 이게 뭐야……."

그것은 찢어지게 가난한 집에서 태어난 아르데니아의 고아 소년이 언덕에서 낡은 검을 우연히 주운 후 다른 차원으로 넘어가 악과 맞서 싸우는 이야기였다.

즉, 차원 이동물.

"아르데니아에서 차원 이동물을?"

지구에서는 단물 다 빠진 소재지만 아르데니아에서 이

런 소재를 다루다니 신선하다. 문체 역시 대단히 수려하거나 하지는 않았지만, 매우 직관적이어서 읽기가 편했다.

그뿐이 아니다.

개성이 넘치는 캐릭터.

동화적이기까지 한 환상적인 이세계.

왕도를 벗어나지 않으면서도 의표를 찌르는 전개까지.

"신기하네…… 아르데니아에서 이런 작품도 나오는구나."

나는 황제기사 네버의 필사를 마치고 녀석의 원고를 따로 빼 두었다.

내가 대단한 안목을 가진 건 아니지만, 벌써 느낌이 온다.

"전설 펫은 이 녀석이 가져가겠는데……."

그렇게 중얼거리며 필사를 이어 나간다. 그런데 네 작품 정도를 더 필사한 후 다시 멈칫하고 말았다.

제목 : 귀로(歸路).

지은이: 늘씬한 다리.

"이거…… 긴 다리 녀석 아냐?"

긴 다리 녀석이 닉네임을 늘씬한 다리로 하다니 어이가 없는 일.

그러나 더 어이가 없는 건 그녀의 작품이 상당한 수준

이라는 것이다.

"일종의 추리물 느낌이군……."

귀로는 그녀와 사나운 이빨 연대(Regiment)가 아인족 무리들을 찾아 고향으로 돌아가는 과정을 기록하고 있었다.

흔히 말하는 실화 기반의 소설.

자칫 건조할 수 있는 이야기였는데도 읽다 보면 지루함을 느낄 새가 없다. 가족이 살해당한 아인족. 잃어버린 아인족. 그리고 그들을 찾는 과정에서 벌어지는 갈등과 추리.

긴 다리는 웨어울프에 대한 내 인상이 편견이었다는 것을 증명하듯 긴박한 전개와 감정선으로 사건을 이끌어 나간다.

"이것도…… 빼 두자."

나는 작업을 계속 이어 나갔다. 그러다 또다시 멈칫한다.

제목 : 새순이 돋을 때.

지은이 : 느티나무.

"……."

나는 이미 필사를 마친 작품을 다시 처음부터 끝까지 보았다. 황제기사 네버나 귀로를 고평가 했지만, 그것들을 볼 때는 없던 일이다.

"이건…… 정말 기대 이상이군."

예술에도 문학에도 관심이 없다. 소설책은 거의 보지도 않고 평소 듣는 음악도 없는, 쓸모가 없으면 관심조차 없는 삭막한 사고관.

그러나 지금은 어느 정도 보는 눈이라는 게 생긴 상태다.

필사(筆寫)는 가장 깊고 느린 독서(讀書).

아무리 내가 문학에 별 관심이 없다고 해도 필사를 천 권 넘게 했으면 문학적 소양이 생기는 게 정상 아니겠는가?

그리고 그런 면에서 이 작품. 새순이 돋을 때는.

"미쳤네. 난데없이……명작(名作)이라니."

이건 웹소설 공모전에 맞지 않는 작품이다.

로맨스라고 표현하기에도 한계가 있었다.

이것은 한 노인의 자화상(自畫像)이자 삶의 반추(反芻).

젊은 시절의 뜨거운 사랑과 여러 인간 군상과의 갈등, 시련과 상실. 그럼에도 살아가야만 했던 아픔과 순응에 관한 이야기이다.

"참…… 모를 일이군. 대부분 황제 만세 하는 엉터리 글인데 그 사이 사이에 이런 게 끼어 있다니."

피식 웃으며 새순이 돋을 때를 따로 빼 둔다.

그리고 다시 필사를 이어 나가며 생각한다.

"그냥 작품 수로 밀 생각이었는데."

두두두두두!

잠시 느려졌던 필사에 박차를 가한다.

"좀 기대해 봐도 되겠어."

공모전은 이제야 시작이었다.

*　*　*

"호외요, 호외! 4대 광장에서 제1회 제국 문학제 공모전 1차 집계를 하신답니다!"

"오! 드디어 결과가 나오는 건가?"

"과연 전설 펫을 받는 이가 누굴지……!"

"그나저나 발표면 발표지 집계가 무슨 말이지?"

인류제국 최대 규모의 도시, 아이언 캐슬의 광장에 수만 명의 사람이 몰려들었다.

광장의 중앙에는 멧돼지 가죽을 이어 붙여 만든 커다란 상황판이 자리하고 있다.

패스트 쓰리 학파의 마법을 배운 공무원이 간단한 마법으로 멧돼지 가죽에 글자를 새긴다.

황금마탑 신화(진리의 탐구자) : 80점.

첫째로 적히는 내용에 사람들이 술렁거린다.

"80점? 높은 건가?"

"아무래도 높지 않겠어? 100점 만점일 텐데."

"제목을 봐봐. 딱 봐도 마법사님들이 쓰신 글인 것 같은데 배우신 분들은 좀 다르지 않겠나?"

속닥이는 사람 중에는 황금마탑의 마법사들도 있었다.

"80점."

누군가의 중얼거림에 멀리서 광장을 내려다보고 있던 황금마탑의 주인. 사루만 하이 매직이 너털웃음을 지었다.

"허허. 이런 글을 써 본 건 처음이라 조금 걱정이었는데 폐하께서 좋게 보신 모양이오."

"정말 대단하십니다! 솔직히 너무 쓰기 어렵던데……."

"위대하신 마탑주님께서 마음을 먹으니 이까짓 소설쯤 아무것도 아니군요!"

"허허. 모자란 작품일 뿐이네. 아직 마탑의 작품들이 제법 남아 있어. 많은 후배들에게 일을 맡겼으니 어쩌면 90점. 아니 100점 작품도……."

그렇게 대화할 때 멧돼지 가죽에 새로운 글자가 새겨진다.

위대하신 황제(은빛기사) : 101점.

"……어?"

"뭐지?"

뜻밖의 점수에 사람들이 놀라는 대신 당황했다.

100점이면 100점이지 101점은 무엇이란 말인가?

"허. 저거 제목을 보니 황제 폐하를 찬양하는 내용 아니오?"

"그런 작품이 다수 있다는 이야기를 듣기는 했습니다."

"아니, 아무리 그래도 그렇지. 백점이 넘는 점수를 준다니요! 사람들이 훌륭한 작품이 아니라 아첨하는 글들이나 써낼까 봐 걱정이외다!"

"저런 글이 잘 먹힌다면 지금이라도 우리가 맞춰 쓰는 건 어떻습니까?"

"오호통재라……!"

마법사들이 그렇게 한탄을 하고 있을 때였다.

나의 생존(패스트) : 317점.

"……어?"

"……음?"

치솟는 점수에 왁자지껄 떠들던 사람들이 멈칫한다.

특히나 황금마탑의 마법사들은 사색이 되었다.

"아니, 이거 설마 만점이 100점이 아니라……."

"1,000점인가?"

그러나 공무 마법사는 계속 글씨를 새기고 있다. 대부분 50~100점 사이였지만 전부 그런 것은 아니다.

폭군 생존기(초콜릿) : 1,042점.

"아니. 이렇게 또 뛰다니……."
"설마 만점이 정말 1만 점이란 말인가."
모두가 당황하고 있을 때.
대륙을 뒤흔들 논란의 작품이 모습을 드러낸다.

황제기사 네버(네버) : 1만 2,417점.

"……."
"……."
"……."
잠시 모두가 침묵을 지킨다. 문득 마법사 중 하나가 중얼거렸다.
"그러고 보니 80점……."
"쉿! 자네!"
"죄, 죄송합니다!"
잠시 소란이 일어나는 와중에도 상황판의 갱신은 멈추지 않았다.
그리 깊이 새기지는 않는다. 나중에 황제에게 새로운

정보를 받게 되면 그것들을 지우고 새로운 정보로 갱신해야 하기 때문이다.

열을 가해서 글씨를 새기는 방식을 그런 식으로 반복하면 멧돼지 가죽이 상하게 되지만 이들 중 그걸 걱정하는 이는 아무도 없다.

인류제국의 의복의 80퍼센트 이상을 책임지고 있는 멧돼지 가죽은 결국 하급.

막 쓰다 손상이 일정 선을 넘어가면 10개씩 모아 1,000골드를 소모해 조합. 멀쩡한 중급 가죽으로 재탄생시키면 그만이다. 중급, 상급, 최상급은 제작 재료로 많이 쓰이기 때문에 이제는 팔리지도 않는 멧돼지 뒷다리와 달리 찾는 곳도 많다.

스스슥.

"허……."

"많군. 이게 다 본선에 진출한 작품들인가."

최종적으로 상황판에는 총 350종의 작품과 작가명. 그리고 점수가 새겨졌다. 이것만 해도 엄청난 숫자인데 아직 최종 마감일까지 8개월도 넘는 시간이 남아 있다.

공무 마법사는 최종적으로 500종이 넘는 작품이 게시될 것으로 예상한다고 설명해 주었다.

"하지만 대체 점수 기준이 뭐지?"

"알 수가 없군."

제1회 제국 문학제는 현 대륙 초유의 관심사이다. 제국민 모두가 모이기만 하면 공모전에 관해 이야기했다.

당연한 일이다.

우승 상품으로 주어지는 카심은 그냥 펫이 아니다. 그것은 포효 한 방으로 백이 넘는 몬스터를 학살하며 하룻밤에 천 킬로미터 넘게 날아가는 그야말로 살아 있는 전설 그 자체.

그것을 얻는다는 건 지구에서 복권이 당첨되어 수백억을 얻는 것조차 '따위'라고 격하시킬 정도로 어마어마한 의미를 가진다.

설사 길가의 거지라도.

카심을 얻는 순간 그는 인류제국의 핵심 인물로 급부상할 수 있다.

'황제 폐하의 심복조차 카심을 얻었음에도 소환을 허락받지 못한 지금은 더더욱 그러하지.'

'사실상 황제 다음으로 전설 펫을 가지게 되는 것이다.'

'그것을 내가. 적어도 내 세력에서 가지게 된다면…….'

그뿐이 아니다.

입상만 해도 주어지는 시민증과 충분한 상금. 황제가 직접 자신의 작품을 읽어 준다는 영광까지……

부와 명예, 성장과 출세 모두 [전투] 하나로 해결되고 있던 인류제국에서 터진 문화 폭탄은 실로 무시무시한 기세로 대륙을 진동시키고 있었다.

"끝! 다음 갱신은 다음달 1일에 진행될 예정입니다!"

공무 마법사의 외침에 누군가 물었다.

"매달 점수가 바뀌는 겁니까?"

"전달받은 공문에 의하면 그렇습니다. 매달 늘어날 거라고 하더군요. 그 속도는 점점 더 빨라질 수도, 오히려 정체될 수도 있다고 합니다. 그럼 전 이만."

공무 마법사가 떠난 게시판 앞으로 사람들이 모여든다. 점수순이 아니라 접수순이었기에 점수는 뒤죽박죽. 사람들은 끼리끼리 모여 점수들을 살펴보았다. 개중 몇은 수첩을 꺼내 점수순으로 적어 가기도 했다.

"1만 점 이상은 하나뿐이군."

"황제기사 저거?"

"그래. 압도적이야. 그리고……."

사람들은 높은 점수의 작품들을 보며 수군거렸다.

"귀로. 저것도 3,700점이야. 되게 높군."

"새순이 돋을 때도 3,100점이야."

"정령검사 높은 바람도 2,300점이니 무시할 수 없는 수준이지!"

1만 점이 넘는 황제기사 네버가 예외적인 작품이었을 뿐 대부분의 작품들이 500점에서 1,000점 사이를 왔다 갔다 했다. 350종의 작품 중 2,000점이 넘는 작품은 고작해야 9종에 불과한 상황.

잔혹하게 느껴질 정도로 압도적인 점수 차에 참가자들은 넋을 잃었지만, 구경꾼들의 입장은 달랐다.

"이렇게 되면 높은 확률로 저 네버라는 작가가 카심을 얻게 되겠군."

"혹시 누구인지 알겠나?"

"있는 건 작가명뿐이에요. 다만 요번에 새로 생긴 문화부(文化部)에 들어간 내 친구가 말하길……."

사람들이 유력한 우승 후보들을 확보하기 위해 움직이기 시작했다. 글을 잘 쓴다고 현실에서 강하지는 않을 테니 미리 찾아 겁박하거나 연을 맺고자 하는 것!

그리고 이런 행위들은 매우 조직적으로 진행되었다.

"여기 여관 종업원 녀석이 매일 글을 쓰는 모습을 봤다는 정보가 있어."

"하지만 아무리 그래도 꼬맹이 놈이 정말 공모전 1등을 할 수 있을까?"

아이언 캐슬에 위치한 한 여관에 몇몇 사내들이 찾아온다. 인벤토리의 존재로 무기를 볼 수는 없지만, 각각 천옷과 가죽옷을 입고 있어 전사와 마법사 직업이라는 것을 알 수 있는 자들이다.

"이 멍청아. 여기 종업원 놈 이름을 생각해 봐!"

"그 맹랑한 꼬맹이? 이름이 분명…… 예스…… 어? 잠깐. 예스? 네버?"

정반대의 뜻이지만 충분히 의미심장한 일. 사내들이 서로의 얼굴을 본 뒤 여관에 들어갔다.

"어서 오세요~!"

"여~ 주인장. 오랜만이야. 어디 보자……."

사내가 슬쩍 여관을 둘러본다. 그리고 그 모습에 여관 주인이 혀를 찼다.

"예스를 찾아오셨구먼! 미안하지만 녀석은 없소."

"이런! 먼저 온 녀석들이 있구나! 누구지?"

건장한 사내들의 분위기가 험악해진다. 차라리 꽝이면 꽝이지 누군가 눈앞에서 채가고 말았다니!

"발표하자마자 찾아왔는데…… 대체 어떤 놈들이야? 우리 길드 마스터님 요번에 희귀 클래스를 얻은 거 알지? 글레이브 길드를 섭섭하게 하면……."

으름장을 놓는다. 길드원은 모두가 플레이어니 실로 살벌한 상황이었지만 여관 주인은 전혀 두려워하지 않는다.

고작 중소 규모의 길드를 두려워하기엔 이 일에 끼어있는 존재가 너무나 거대했기 때문이다.

"누구긴 누구겠소. 황제 폐하의 기사들이지. 벌써 일주일도 전에 가족 · 친지들까지 다 데리고 떠났다우."

"앗……."

"아……."

"이런…… 그렇군. 아니, 당연한 건가."

기세등등하던 사내들의 분위기가 단번에 식는다. 당연한 일이다. 누가 감히 황제의 이름 앞에서 거드름을 피우겠는가?

굶주리던 수천, 아니 어쩌면 수만 이상을 배불리 먹이고 말 한마디로 아이언 캐슬 같은 거대한 성을 만들었다.

몬스터에게 학살당하던 인류에게 플레이어라는 가능성을 전하고 그 누구도 구할 수 없는 귀중한 스킬 북과 아이템들을 공급한다.

일격에 수천수만 명의 몬스터의 머리를 부수고 천공을 가로지르는 드레이크와 산만큼 거대한 펫을 타고 다닌다.

'무시무시한 건 이것 중 단 하나도 헛소문이 아니라는 것이지…….'

당장 여기 있는 플레이어들만 해도 그중 반 이상을 실제로 경험했다. 아니 그들뿐이 아니라 인류제국의 절반은 직접 경험했다고 해도 과언이 아니리라.

황제는 움직일 때마다 온 세상이 놀랄 정도의 힘과 파급력을 가지고 있었는데 심지어 엄청난 활동력까지 가지고 있어 제국민들은 제국에 속하는 과정에 최소 한 번은 그의 권능을 목도 할 수밖에 없었다.

혹 보지 못했다면?

그래도 알 수밖에 없다. 주변 사람에게 귀가 따갑도록 듣게 되기 때문이다.

초라할 정도로 작던 성벽이 단박에 30층 아파트 단지보다 거대해지고 그 안에서 온갖 건물들이 솟아오르는 과정을 눈으로 직접 봤는데 그걸 남한테 이야기 안 할 수가 있는가?

황제가 커다란 망치를 휘두르는 순간 중갑주로 온몸을 감싸고 있던 수만의 군세가 단박에 머리가 사라져 쓰러지는 과정을 두 눈으로 봤는데 술에 취했을 때 그 광경을 묘사 안 할 수 있다고?

그걸 참을 수 있다면 그건 이미 사람이 아니다. 상대방이 지겨워서 듣기 싫어해도 이야기하고 또 이야기하게 되리라.

인류제국의 황제가 가지는 위상은 그야말로 살아 있는 신.

멸망할 인류를 구하기 위해 내려온 구원자이다.

"황제께서 작가들을 특별히 관리하시려는 모양이군."

"문학과 예술이 그분의 권능에 도움을 준다고 하더라고."

"에이…… 텄어. 돌아가서 레벨 업이나 하세!"

글레이브 길드의 길드원들은 깔끔하게 포기하고 여관을 나섰다.

그와 같은 일이 대륙 곳곳에서 일어나고 있었다.

* * *

오룡넷 공모전이 열리고 보름의 시간이 지났다.

아르데니아에서는 3달이 넘었다. 밥도 아르데니아에서

먹고 잠도 아르데니아에서 자고 종종 사냥까지 나가서 당연한 시간 배율이었다.

"으아……."

나는 고급스러운 침대에서 일어나 늘어지게 기지개를 켰다. 차크라로 수면을 해결해도 되지만 침대에서의 수면에도 그 나름의 맛이 있다.

"이제 슬슬 넉 달째네…… 구매 수 갱신해야지."

오룡넷 공모전. 즉, [노벨 아레나]는 유료 연재를 기반으로 한 이벤트다.

최초 15편은 무료로 연재하고 그 이후를 유료로 연재해 포인트를 쌓는 방식.

다행히 [총구매 수]가 게시판 한쪽에 표시되기에 편마다 구매 수를 찾아 더할 필요는 없다.

"어디 보자 황제기사 네버가…… 46위군. 아르데니아에는 압도적 1등인데."

하기야 황제기사 네버가 훌륭한 작품이기는 해도 [네버]라는 작가는 34지구에서 아무런 인지도도 없는 쌩 신인에 불과하다. 규모가 워낙 커 기성 작가도 대거 참여한 이번 공모전에서 단번에 화제를 일으킬 정도는 아닌 것!

그럼에도 불구하고.

황제기사 네버(네버) : 7만 4,217점.

"평균 구매 수가 1,500이 넘는다."

엄청나게 높은 조회 수는 아니다. 기성 작가들은 평균 구매 수 3,000을 넘기고 인기 작가라면 한 편 구매 수가 1만을 넘어서는 경우도 허다하니까.

그러나 그것이 수익이 적다는 의미는 아니다.

"……좋군."

웹소설은 편당 100원이고 구매수가 1만이라는 이야기는 그 소설에서 100만 원의 수익이 발생했다는 뜻이다.

즉, 총 구매 수 7만 4217점이란.

"742만 1,700원."

거기에 2배 이벤트가 적용된다. 플랫폼 오룡넷에서 수수료 25%를 가져가긴 하지만 이벤트 참가는 CP(Contents Provider)를 끼고 있지 않기 때문에 이것만으로도 천만 원을 훌쩍 넘는 수익이 발생한다.

'이게 아르데니아의 작가 한 명이 벌어들이는 돈이라니.'

하물며 작가는 하나가 아니다.

일례로 이런 경우도 있다.

황금마탑 신화(진리의 탐구자) : 911점.

흔히 말하는 똥망작이다. 평균 조회 수가 15밖에 안 돼서 보통 작가라면 때려치우고 다른 일 찾아 보는 게 현명한 성적.

그러나 이런 똥망작조차도 다 합치고 나면 10만 원 이상의 수익을 발생시킨다. 글을 옮겨 쓰는 것도 일이라고 하지만 하루 20권씩 쓰는 지금 상황에서는 별문제도 안 된다.

"돈이…… 복사가 된다고!"

심지어 60일의 이벤트 기간 중 고작 15일이 지났을 뿐이다. 현재 연재 속도를 조절하는 중이니 지금까지의 수익보다 앞으로의 수익이 훨씬 큰 것이다.

"역시…… 작가들을 모으기로 한 건 옳은 판단이다."

나는 네버를 비롯해 최초 점수 1천 점 이상의 작가들을 내가 지금 머물고 있는 대지성으로 소집시켰다.

아마 이 순간에도 기사, 혹은 병사들의 호위를 받으며 가족 친지들을 데리고 지하대로를 따라 이동하고 있을 것이다.

"그리고…… 최종적으로 1만 구매수를 달성한 모든 작가에게 명예직과 연금을 주고 특별히 보호해야겠다. 이런 귀중한 인재들이 내가 모르는 곳에서 죽어 나가기라도 하면……."

인류제국이 아르데니아 대부분 인간과 아인족을 어우르게 되면서 수많은 인재가 제국의 품에 안겼다.

수백의 마수를 사냥해 온 노련한 기사.

수십 년을 수련에 바친 마법사.

망치질로 총기를 따라 만드는 대장장이.

신비한 정령을 다루는 정령술사까지.

그렇다면 그 인재 중 최고는 무엇일까?

'소설가가 짱이야……!'

빼어난 검사, 마법사, 정령사, 기술자 모두 대단한 인재지만 그들은 아르데니아에 한정된 존재일 뿐이다.

반면에 소설가는 어떤가?

그들은 지구에서 돈을 벌 수 있다.

회사 사장의 입장에서 보면 그냥 정해진 일을 하는 직원과 실질적으로 수익을 발생시키는 직원에 대한 평가는 다르기 마련이다.

겨우 200만 원의 월급을 줄 뿐인데 2억 원, 3억 원의 이득을 안겨 준다면 어찌 사랑스럽지 않을까?

그런 직원이 있다면 당연히 아끼고 잘 대해 줘야 한다. 만약 그러지 않는 사장놈이라면 그 회사는 언제 망해도 망하고 말 것이다.

"그래. 이참에 등급을 만들어야겠다."

먼저 9급 작가가 있을 것이다. 공모전에 입상한 이에게 주어지는 등급.

'별다른 혜택은 줄 수 없다. 아무나 할 수 있으니까.'

재능이 없어도 끈기만 있으면 5권의 책은 쓸 수 있다. 이들에게 주어지는 것은 시민증을 대체할 수 있는 작가 등록증과 용돈 정도의 상금뿐일 것이다.

‘그리고 8급 작가.’

구매 수 1만을 커트라인으로 잡았다. 총 100만 원의 수익을 발생시켰다는 뜻.

그리 어려운 조건은 아니다. 처음에 1만 점이 넘는 작가는 네버뿐이었지만 그것은 분량이 모자랐고 연재한 지 얼마 시간이 지나지 않아 일어났던 일일 뿐이다.

5권짜리 소설을 편수로 치면 125편이고 그중 15편이 무료이니 110으로 구매 수 1만을 만들면 해결되는 문제다. 평균 구매수가 100만 되어도 된다는 뜻! 심지어 분량을 5권 이상으로 하면 두 자릿수 대 구매 수로도 충분히 8급 작가가 될 수 있다.

‘혜택은 작가등록증과…… 연금으로 해야겠군. 기한은 3년. 작가 일은 계속하면 갱신되는 시스템으로.’

다만 좀 아쉬웠기에 조건을 추가한다.

‘그래. 거기에 작가 자격을 유지하는 동안 무상으로 집을 대여해 주자. 8급은 원룸 정도.’

즉, 글만 열심히 쓰면 적어도 배는 곯지 않는다는 이야기다. 그런 작가들이 많아진다면 국가재정을 꽤 잡아먹겠지만 전혀 아깝지 않다.

어찌 아깝겠는가?

그들은 내게 현금 100만 원 이상을 쥐여 주는 존재이다.

‘다음은 7급 작가. 여기서부터 본격적으로 하자.’

커트라인은 2만을 넘겨 3만으로 정했다.

300만 원의 수익을 발생시키는 작가.

작가등록증과 늘어난 연금, 주택은 물론이고 여기에 고급 클래스 '선택권'을 주기로 했다.

'그리고 6급 작가.'

커트라인을 10만으로 올렸다. 현금 천만 원의 수익을 발생시킨 자. 5권 분량 기준 평균 구매 수 1,000을 넘기는 수준이다.

작가가 무수히 많은 34지구에서는 그저 그런 수준이지만 어쨌든 전업작가로서 글로 먹고 살 수 있다.

작가등록증, 풍족한 연금, 가족을 데리고 살 수 있는 35평의 집. 희귀 클래스 선택권이 주어질 것이다.

'다음은 5급 작가.'

커트라인은 30만 구매수다. 5권 기준 평균 조회 수 3,000대. 최고 수준은 절대 아니지만, 충분히 인기 작가라고 할 수 있는 수준이다.

작가등록증과 더 풍족한 연금, 50평가량의 집, 그리고 희귀 클래스, 펫, 수호령 선택권이 주어질 것이다.

"이런 흐름이면 4급 작가는 영웅 클래스를 받겠네. 뭐 공모전 우승이면 전설 펫을 주기로 한 상황이니 상관없지만."

일단은 5급 작가까지만 만들기로 했다.

일종의 만렙을 정해 놓은 것.

'4급 이상은 작가 집단이 제대로 굴러 가며 충분한 수익을 얻은 뒤 개발하는 게 좋겠지.'

나는 결정한 [작가 등급 제도]를 정리해 공문으로 작성한 뒤 플라워에게 전달했다. 플라워는 그 내용을 간략히 확인한 후 고개를 끄덕였다.

"전달하겠습니다. 아, 그리고 조금 전 12종의 작품이 추가로 도착했습니다."

"적극적인 참여라니 좋네. 올려 보내 줘."

"네, 폐하."

플라워를 내보내고 집무실 책상에 쌓여 있던 원고 중 하나를 집어 들었다.

오늘치 스무 권을 필사할 시간.

빠르게 한 페이지를 암기한 뒤 말한다.

"로그아웃."

지구로 나가 작업을 이어 나가려던 때였다.

"야옹! 야옹!"

"뭐야. 누구지?"

요즘 연락 오는 곳이 하도 많아서 몇몇 연락처를 빼고는 싹 차단했다.

"앨런 감독인가? 아니면 태석 PD?"

그러나 아니었다.

"오랜만이에요. 재연 씨."

"아, 배사랑 대표님이군요."

리벤지의 제작사 네메시스의 대표인 그녀가 직접 연락을 했다. 400억 원어치 주식을 다이아로 바꿀 때 연락처를 교환하긴 했지만, 비서도 아니고 직접 전화를 할 줄이야.

“요새 아주 귀가 따갑게 이름이 들려오던데요. 여러모로 비범하다고는 생각했지만 설마 게임 마스터님의 사도가 되실 줄은…….”

“여러모로 운이 좋았죠.”

잠시간 잡담을 나누었다. 잠시 위기에 처했던 리벤지가 34지구 유일의 가상 현실 게임으로 자리 잡으며 원래부터 잘나가던 네메시스가 역대급 성세를 누리고 있다는 이야기.

나는 그녀의 이야기를 듣다 물었다.

“그런데 무슨 일이신가요?”

내 물음에 사랑이 말했다.

“광고 찍어 보실 생각 있으세요?”

당연히 물을 수밖에 없었다.

“얼마까지 생각하고 오셨어요?”

“…….”

사랑은 예상치 못한 반응에 당황한 듯 잠시 침묵했지만, 이내 진정하고 차분한 목소리로 답한다.

“당연히 업계 최고 대우를 해 드릴 생각입니다. 그리고 이게 참 미친 소리라고 생각하면서도 확인차 묻는 건데…… 다이아도 받으시나요?"

그녀의 유연한 태도는 매우 기꺼운 일이었지만 아쉽게도 과금력의 존재 때문에 다이아 삥뛰기는 아무런 의미가 없다.

물론 일대일로 받을 수는 있겠지만……. 그래서야 무슨 의미가 있겠는가?

"아뇨. 자세히 말씀드릴 수는 없지만 이제 그런 식의 거래는 없을 듯합니다."

"아, 그건 좀 안타깝네요. 그렇다면 역시 돈이겠죠?"

"주식도 좋습니다."

예전부터 생각하던 문제다. NPC를 소환해 잔뜩 쟁여 두었던 상점표 아이템들이 슬슬 떨어져 가고 있었기 때문이다.

'슬슬 상점계 아이템들을 구비하지 않으면 인플레이션이 일어난다.'

사실 아르데니아 플레이어들의 골드 획득량은 형편없는 편이다. 죄다 무과금이라 여신의 가호는 2단계, 경험치 400%, 아이템 300%, 골드 획득 200% 고정이고 24시간 자동 사냥을 돌릴 수 있는 리벤지의 캐릭터와 달리 몇십 분만 싸워도 녹초가 되기 때문이다.

아무리 숙련됐다 하더라도 아르데니아에서 플레이어가 하루에 할 수 있는 던전 클리어는 십여 번이 고작.

리벤지의 무과금 플레이어 한 명이 버는 골드가 아르데

니아 숙련 플레이어 열 명이 버는 것보다 더 많다.

'하지만 아무리 조금씩 벌어도 쌓이지.'

리벤지의 시스템이 골드가 소멸하는 걸 전제로 짜여 있다. 골드가 중앙에서 찍어 내는 화폐가 아니라 몬스터를 잡으면 생겨나는 일종의 생산물이기 때문.

때문에 가장 큰 골드 소모처인 상점이 없는 아르데니아에서는 필연적으로 골드가 쌓일 수밖에 없다.

그나마 주식으로 시스템에 간섭할 수 있었으니 망정이지 그렇지 않았다면 정기적으로 금화를 녹여 황금탑을 세우거나 랜드웜에게 간식으로 줘야 했으리라.

"주식이라……."

체다. 그러니까 통화 중인 사랑이 잠시 입을 다문다. 그러나 이내 마음을 결정한 듯 웃는다.

"어쨌든 광고를 찍을 생각은 있다는 말이죠?"

"벌 수 있을 때 벌어야죠."

신화 성들에 부속 건물을 하나도 못 올렸다.

성을 지키는 데에도 인원이 빠듯해 기가스 운용도 제대로 못하는 상황.

'그리고 무엇보다…… 창작자들이 안심하고 예술혼을 불태울 공간이 필요하다.'

아직 텅 비어 있는 대지성이야말로 가장 적절한 장소일 것이다.

"……좋아요. 그럼 만나서 이야기하죠."

"좋습니다."
"시간은 괜찮으신가요?"
"뭐, 문제없습니다. 집에만 있는 중이니."
"그럼 1시간 뒤 룸 타워 앞에서 뵙죠."
통화를 끊은 뒤 가볍게 씻는다. 복장은 당연히 사랑이 사 줬던 정장이다.
"이제 50분…… 1권 더 쓰고 내려가면 되겠다."
나는 정장을 입은 채 가볍게 1권을 써낸 뒤 1층으로 내려갔다.
그런데 그때였다.
"한재연."
누군가 말을 건다. 돌아보니 나를 쏘아보는 건장한 체구의 사내가 보인다.
"뭡니까?"
"드디어…… 나왔군! 드디어……! 도대체 뭐가 그리 무서워서 연락조차 무시한 채 방에 처박혀 있던 거지!?"
성큼성큼 다가온다. 그 위협적인 말투와 몸짓은 신선하기까지 하다.
'아, 이런 태도 정말 오랜만이네.'
아르데니아에서는 지겹도록 겪었지만, 황제가 된 이후로는 어디서도 볼 수 없었다.
그렇다면 34지구에서는?
'더더욱 볼일 없지.'

세상 물정 모르는 애송이나 스스로 꿀리는 게 많은 빈민촌의 이주민이 아니고서야 이런 태도에 당황할 이유가 없다.

위협(威脅)은 그 뒤에 이어질 위해(危害)가 동반되었을 때에만 의미가 있기 때문이다.

상대를 때릴 수도, 불이익을 줄 수도 없는 세상에서의 위협은 너무나 공허한 허세에 불과하다.

"누구십니까?"

"너……! 아니, 후. 그래. 이렇게 나오겠다 이거지? 네 근본인 98지구를! 네 혈통과 사명을 내던지고……."

"아, 안 사요."

몸을 돌려 걸어간다. 사내가 손을 내뻗는다.

"이 새끼가!"

어깨를 잡았다. 그리고 힘을 주어 당기려 한다.

이 정도는 폭행 판정이 뜨지 않는다는 걸 알고 하는 행동이겠지만.

'멍청한 놈.'

그 순간 랜드 브레이커를 운기했다.

내 근력은 800포인트를 넘겼다. 지지대가 버텨만 준다면 빌딩을 잡아 뽑는 게 가능한 괴력을 가지고 있다는 말이다.

뿐만 아니라 랜드 브레이커는 거인족들이 우주에서 그 특유의 괴력을 휘두를 수 있게 도와주는, 마치 뿌리를 내린 듯 대지와의 접착력을 강화시킨다.

즉, 움직이는 내 어깨를 잡아채는 것은.

달리는 기차를 손으로 붙잡은 것이나 다름없다.

우두득!

"끅!?"

숨죽인 비명과 함께 거구의 사내가 질질 끌려온다. 그 모습이 사람 발치에 매달린 새끼 고양이처럼 애처롭다.

"손 치워."

정중하게 말과 함께 어깨를 잡은 손을 탁하고 쳐 냈다.

웅!

기세가 뿜어진다.

'아.'

나 스스로도 생소하고 새로운 감각이다.

'이게 살기(殺氣)라는 거군.'

남을 향해 뿜어 보지도 느껴 보지도 못했던 유형화된 기세.

"불쾌하니까."

"내 팔…… 내 팔이…… 무, 무슨…… 힘이. 너……."

망연자실한 표정의 사내를 내버려 두고 룸 타워를 나선다. 바로 앞에 커다란 차량이 대기 중. 창문이 열리더니 머리를 올려 묶은 사랑이 보인다.

"타요."

"직접 오시다니……."

"요새 다들 바빠서."
사랑은 선글라스를 슬쩍 내려 내 등 뒤에 주저앉아 있는 사내를 슬쩍 보았다.
"수준 떨어지는 것들과 안 엮이려면 집은 새로 구하시는 게 좋아요."
나는 굳이 뒤돌아보지 않고 웃었다.
"차차 생각해 보죠."
자동으로 열리는 문 안으로 들어서자 그대로 창밖 배경이 변한다.
공간 이동이다.
"어서 오십시오."
차에서 내리자 한복을 입은 직원들이 우리를 안내한다.
'아, 점심때였군.'
어차피 밥을 아르데니아에서 먹다 보니 시간 개념이 없다.
"못 드시는 건 없죠?"
"다 잘 먹는 편입니다."
우리는 따로 잡혀 있던 룸에 들어갔다. 앉아서 물을 한 모금 마시고 나니, 한복을 입은 직원이 들어와 입맛을 돋아 줄 노란 호박죽과 함께 상큼한 향이 나는 드레싱을 뿌린 샐러드를 세팅해 준 후, 룸을 나선다.
내가 가볍게 그릇을 비우자 사랑이 말했다.

"탑스타의 광고 모델료 비용이 일반적으로 1억에서 30억입니다."

"폭이 넓네요."

"탑스타라고 해도 그 안에서 또 갈리니까요. 거기에 세부 조건이 다양하죠. 전속 계약이라든가."

"아하."

나는 고개를 끄덕였다. 다만 짚고 넘어갈 문제가 있었다.

"제가 탑스타인지는 잘 모르겠지만…… 탑스타라는 존재가 생각보다 많다는 건 알고 있습니다. 반면에 게임 신의 사도는 공식적으로 저 한 명이죠."

내 말에도 사랑은 당황하지 않았다. 그녀로서도 그냥 던져 본 말인 모양이다.

"네. 그래서 일반적인 경우와는 조건이 다릅니다."

그렇게 말하며 종이 한 장을 넘긴다. 그저 두꺼운 종이처럼 보이지만 최첨단 기술로 제작되어 온갖 마법이 걸린 스마트 패드다.

'광고 제안서로군.'

상세 내용을 읽고 있는 동안 직원들이 들어오더니 온갖 음식이 담긴 그릇들이 하나둘 늘어놓는다.

얇게 썬 수육과 김이 모락모락 피어오르는 고기찜, 그리고 버섯과 다양한 해산물을 구운 구이류까지 다양하다. 음식들은 다양한 대신 한두 번 먹을 정도의 양으로 정갈하게 플레이팅 되어 있다.

제안서를 읽는 와중, 음식을 가볍게 주워 먹으며 생각한다.

'아, 아르데니아 음식 수준은 언제 올리나.'

하다못해 음식 재료들이 드랍되는 착점이라도 차지해 고급에서 희귀 음식들이라도 제작할 수 있게 해야겠다고 생각하는 내게 사랑이 설명한다.

"기준은 대마법사 럭키 스트라이크 님으로 잡았습니다."

'오. 초월자가 광고도 찍었어?'

하기야 빚을 갚으려면 당연한 선택이다. 좀 안 좋은 쪽으로 유명하긴 해도 럭키 스트라이크는 미형의 엘프 여성이니 광고 모델에 어울리기도 한다.

"120억이라……."

"어마어마한 비용이죠. 초월자 프리미엄이라고 할 수 있습니다."

하기야 초월자가 뭐가 아쉽다고 자기 얼굴을 팔고 다니겠는가. 체면 깎이게. 럭키 스트라이크가 대단히 예외적인 케이스다.

'엄청난 금액이야.'

저 돈으로 뭘 할 수 있는지 상상만 해도 아득하다. 신화 성을 완전히 꾸미는 것은 물론 기가스 생산도 할 수 있겠지.

마검 히페리온에 박아 넣은 9강 전설 행운템을 다시 구해 입을 수 있고 과금력을 소모해 리벤지의 아이템을 현실로 불러내는 것도 가능하다.

솔직히 당장이라도 사인하고 싶지만, 필사적으로 자제한다.

더 늘릴 수 있다면 늘리는 게 당연히 이득이기 때문이다.

"지금 저에 관한 관심은 그야말로 최고조입니다. 국내 한정이 아니라 세계급이지요. 어쩌면 외계에서 관심 가질 수도 있고요."

얼마 전과는 다르다. 그냥 영화 하나 빵 떴을 때와 지금의 내 위상은 그야말로 비교를 불허하는 수준이 아니던가?

"아, 이야기를 불안하게 끌고 가시네요."

사랑이 선글라스를 벗고 울상을 짓는다.

화려한 미녀인 그녀가 털털하게 웃자 깜짝 놀랄 정도의 매력이 뿜어져 나왔다. 나는 내심 생각했다.

'할머니다. 할머니.'

지금 이 자리에 걸린 돈이 한두 푼도 아니고 고작 외모에 휘둘릴 수는 없다.

'하긴 이것도 아르데니아 감성이지만.'

52살의 성재 보고 놀린다거나 사랑을 보고 할머니라고 생각하는 건 아르데니아에서 보낸 20년의 세월 때문이지 사실 34지구 사람들은 그런 인식이 희박하다.

인간은 결국 겉모습에 휘둘리는 존재.

상대가 80살이든 800살이든 겉으로 보기에 매력적이면 그만이다. TV를 틀면 나오는 아이돌이 60살인 게 무슨 상관인가? 탄식이 나올 정도로 아름답다는 게 중요하지.

요즘 젊은 사람들은 나이를 신경 쓰지 않는다.

대중 매체에서 고령의 스타나 능력자를 보고 자랐기 때문이다.

'오히려…… 나이를 신경 쓰는 건 과거의 인식을 가진 어르신들이지.'

마법 소녀 강보람이 할머니 세 글자에 이성을 잃었던 게 바로 그런 이유이다.

"다음 음식입니다."

직원들이 들어온다. 상 중앙에 척 봐도 마법적 효과가 느껴지는 술이 담긴 신선로가 들어서고 그 좌우로 그와 함께 즐길 수 있는 다양한 음식들이 정갈하게 늘어선다.

자신의 할 일을 마친 직원은 룸을 나서고, 우리는 다시 식사를 진행했다.

난 어느 정도 배를 채우며 생각을 정리한 뒤 입을 열었다.

"220억."

"엑……."

사랑의 미소가 사라진다. 자신이 생각한 한계치를 넘어

선 것이다.

“불가능합니까?”

“아, 아니. 천 원을 이천 원으로 올리는 것도 아니고…… 100억을 더 올리다뇨. 이런 건…….”

표정 관리를 못할 정도로 당황한 그녀에게 말한다.

“광고비 전액을 그대로 과금할 겁니다.”

“…….”

잠시 침묵한다. 내가 아무 말 없이 바라보고 있자 잠시 허공을 바라보며 생각에 잠겨 있던 사랑이 묻는다.

“그러니까 다이아로 바로 받지는 않지만…… 돈을 받아서 과금한다? 전부?”

“네, 전액.”

“그렇게 되면, 이야기가 달라지긴 하는데…….”

당황하던 사랑의 분위기가 차분해진다.

그러더니 내 눈을 응시하고 말했다.

“……300억으로 가시죠.”

“오.”

절로 휘파람이 나온다. 사랑이 말했다.

“대신 6개월 정도는 다른 게임 광고는 찍지 말아 주세요. 전속까지는 아니어도.”

“어려울 것 없죠.”

아닌 게 아니라 너무 바쁘다. 소설들을 연재해야 하고 우주 용병 등록도 해야 한다.

우주 용병에 등록되면 실제로 임무도 뛰어야 할 것이다.

"좋습니다. 먼저 100억 드리고 광고 촬영 후 200억. 전부 과금하는 거 맞죠?"

"네."

주식으로 좀 받을까 했는데 그냥 과금으로 가야 할 모양이다.

'주식은 인세로 사지.'

요즘 작품을 찍어 내고 있는 상황이니 충분한 상황. 사랑이 환하게 웃었다.

"좋아요. 잘 부탁드립니다!"

"잘 부탁드립니다."

마지막 악수를 끝으로 계약을 마무리한다. 디저트로 나온 과일과 달달하면서 상큼한 매실차를 먹고 자리에서 일어난다.

올 때와 마찬가지로 자동차에 타, 룸 타워로 돌아온다.

"그럼 촬영 때 뵙죠."

"네. 그때 뵙겠습니다."

방으로 돌아온다. 그리고 그즈음.

"야옹!"

"……빠르군."

절로 미소가 피어오른다. 입금 내역을 확인한다.

[네메시스 소프트에서 10,000,000,000원을 입금하였습니다.]

"크으……."

등줄기가 짜릿하다. 공이 대체 몇 개인가?

"100억! 와, 미쳤다! 진짜!"

100억이라면 이번 공모전 상금을 다 합친 돈이 아닌가? 심지어 이마저도 3분의 1에 불과하다!

"진짜…… 게임마스터님의 최고 은총은 바로 이름값이었고요."

그가 내게 넘겨준 초월병기는 물론 대단한 물건이지만 그 이름값이 던져 주는 이득에 비하면 댈 것도 아니다.

나는 이제 게임 능력을 현실에서 써도 된다.

예전이었다면 몬스터 사태에 안 좋게 엮여 문제가 되었겠지만 이제는 게임신의 권능이라고 주장하면 그만이기 때문이다.

물론 진실신의 사제들이 있으니 진짜 그렇게 말하면 안 되겠지만 말하지 않고 느낌만 풍기는 건 그리 어렵지도 않은 일이다.

'애초에 누가 따지겠어.'

그렇다. 어디서 흘러나온 이야기도 아니고 공식적인 자리에서 게임신이 직접 선포한 사도의 말을 어떤 미친놈이 의심하겠는가?

"아, 아아. 뭐부터 사지? 뭐부터 하지?"

필사해야 하는데 가슴이 쿵덕쿵덕하고 엉덩이가 들썩들썩 해서 집중이 안 된다.

그런데 그때였다.

"야옹!"

"엥? 이번엔 뭐지?"

체다의 울음에 놀라서 고개를 돌린다.

"뭔가 또 입금되었나?"

후다닥 달려가서 확인한다.

[초록용용이 : 안녕하세요. 재연 씨! 이 게시물 좀 확인해 보실래요?]

"플라워잖아? 무슨 문제라도 터졌나?"

나는 플라워가 보낸 링크를 타고 들어갔다.

오룡넷 독자 게시판의 한 글이 켜진다.

[공모전] 신창(神槍) 세익 스피어 : 공모전 수준 ㅅㅂ.

신인 작가들 글을 찾아보다 너무 큰 충격을 받았다.

새순이 돋을 때.

경력조차 없는 신인 작품이라 별생각 없이 읽었는데…… 청승맞게도 눈물을 흘리고 말았다. 최근에 이 정도의 무게감으로 감정을 휘두르는 글을 본 적이 있었던가?

그런데 지금 공모전 순위는……

너무 답답하다. 이만한 글이 베스트 100에도 들어가지 못하는 건 물론이고 감상평도 별로 없다는 게 말이나 되냐?

아무리 장르 소설판이 날아갈 듯 가볍다지만 눈깔이 뒤통수에 달린 게 아니면…….

"아."

대충 무슨 느낌인지 알겠다. 나 역시 저 작품을 보고 충격을 받은 사람 중 하나였기 때문이다.

고전 명작도 아니고 시대상으로 보면 아직 살아 있는 사람 같은데 어찌 이런 작품을 써 낼 수 있나 의심이 들 정도.

매일 남의 글을 베끼는 나로서는 도저히 닿을 수 없는, 말 그대로 인생이 묻어 나온 글이다.

"아니 뭐 그런데 어쩔 수 없는 거 아닌가? 말 그대로 장르소설판인데."

과연 그런 느낌을 받은 건 나뿐이 아니었다.

그 감상은 게시물에도 그대로 반영되어 있다.

[댓글 : 481개]

그곳에.

투기장이 열려 있었다.

↳해시태그 : 그냥 노잼이구만 뭐 그리 대단하다고 소란임? 지들끼리 물고 빨고 ㅈㄹ하는 건 관심 없는데 공모전 전체 비하하는 수준이야말로 알 만하구요.

↳위키 : 훌륭한 글인데 관심이 적으니 아쉽다는 말이지요 뭐

↳해시태그 : 훌륭은 ㅈㄹ났네 진짜. 내가 억지로 보려다 때려치웠다. 그냥 장르소설판에 와서 일반문학 순문학 부심 부리는 거 아님? 왜 장르소설 공모전에서 이러고 있음? 널리고 널린 문학 공모전이나 가시죠?

↳버둥버둥 : 장르문학과 순문학이 다른 범주의 글은 아니에요. 물론 순문학이 범위가 훨씬 넓고 아우를 수 있는 게 많지만, 그렇다고 그게 전부는 아니죠.

-장르 문학은 문학의 하위장르라면 순문학 역시 문학의 하위개념입니다.

사실 그 구분은 모호하기 짝이 없어요.

↳해시태그 : 아니 재미가 없다니까?

↳버둥버둥 : 모든 소설은 항상 재미를 추구합니다. 새순이 돋을 때도 마찬가지죠. 정말 이 작품이 재미가 없고 그냥 문학적인 가치가 있다면 이름값도 없는 신인 작가의 글이 이렇게 화제가 될 리 없잖아요?

-재미의 목적은 쾌락입니다.

즉 소설이 추구하는 것은 쾌락으로 인한 재미라는 것을 알 수 있습니다.

몰락 귀족 출신인 느티나무가 그녀에게 사랑을 속삭이던 귀족에게 오히려 노려지는 장면은 숨이 턱 막힐 정도로 답답하지만, 순간의 기지로 탈출하는 장면은 담담한 서술로 이어져 있음에도 손에 땀을 쥐게 만듭니다.

결국, 가문을 지키던 기사와 재회해 고난을 이겨 내는 장면은 카타르시스까지 느껴지지요.

↳테라리아 : 아 설명 너무 길어요. 재미있다는 거예요. 없다는 거예요?

↳버둥버둥 : 내용도 훌륭하지만, 무엇보다 문장이 정말 아름답습니다. 음운 하나까지 파고드는…… 단편도 아니고 장편을 이런 호흡으로 끌고 가다니 정말 놀랍습니다. 예술적 미학이라고 해도 부족함이 없어요.

↳테라리아 : 아, 그렇군요.

↳테라리아 : 설명만 들어도 볼 생각이 뚝 떨어지네요. 수고요 ^^

↳버둥버둥 : ……

↳버둥버둥 : 아 못해먹겠네. 수준 진짜.

↳테라리아 : 뭐? 수준?

내가 게시물을 보는 동안에도 리플이 계속 추가된다. [새순이 돋을 때]를 칭찬하는 사람과 까 내리는 사람들이 그야말로 불처럼 리플을 쏟아 내고 있다.

"……좋은 건가?"

원래 아무도 관심가지지 않던 신인의 작품에 어마어마한 관심이 쏠리는 건 좋은 일이지만 안티팬도 무수하게 생겨나고 있다. 전형적인 빠가 까를 만드는 과정.

그리고 화제가 되는 건 이 한 작품이 아니었다.

↳튀긴감자 : 황제기사 재미있지 않음? 약간 동화적이긴 한데 너무 웃기다 ㅋㅋㅋㅋㅋㅋ

↳뀨뀨2020 : 잡것들아 황제의 검을 받아라 ㅋㅋㅋㅋㅋㅋㅋㅋ

↳검사 : 영능 구조가 말이 안 돼 ㅋㅋㅋㅋㅋ 어린애가 쓴 거 같은데 배 터진다 진짜 ㅋㅋㅋ

황제기사 네버는 논란도 뭣도 없이 순항 중이다. 벌써 순위가 32위까지 올라갔다. 이 기세대로라면 베스트 20위도 멀지 않았다.

그뿐이 아니다.

늘씬한 다리의 [귀로]도 추리나 서스펜스를 좋아하는 팬들에게 추천받으며 구매 수가 쭉쭉 늘고 있었다.

그 외에도 내가 전혀 눈여겨보지 않던 초콜릿 작가의 [폭군 생존기]와 패스트 작가의 [나의 생존]도 빠르게 구매 수를 늘려 가고 있었다.

나머지 작품들은 그야말로 똥망이지만 아무리 적어도 10이 넘는 구매 수를 가지고 있다. 보통의 작가라면 유료 연재를 포기할 수준이지만 그런 작품의 수익도 수백 을 모으면 결코 무시할 수준이 아니다.

"흐뭇하구먼."

쑥쑥 자라는 작물을 보는 농부의 미소가 절로 피어오른다.

[킬리언스 : 소식 감사합니다. 플라워 씨! 직접 관심을 두시다니 영광이네요!]

예의상 답장을 보내 주었다. 보통 사람도 아니고 초월자인 그녀에게는 태도를 조심해야 한다.

'하물며 보통 초월자도 아니지.'

갓 성룡에 이른 어린 노블레스의 가면을 쓴 플라워의 진짜 정체는 대우주 최강의 용종으로 불리는 크로매틱 드래곤.

'최소' 중급 신 이상의 전력을 가진 그녀는 말 그대로 신이나 다름없는 존재다.

[초록용용이 : 후후. 감사하시면 저녁 한번 쏘실래요? 인세도 많이 들어올 텐데.]

"……뭔 소리야?"

영문 모를 소리에 절로 고개가 기울어진다. 크로매틱 드래곤이 설마 밥값이 아까워서는 아닐 것이다. 아니 그냥 1000살짜리 성룡이어도 그럴 일은 없겠지.

[킬리언스 : 네?]

의문을 담아 한 글자 보내자 한참 답변이 없다.

"뭐지?"

영문 모를 상황에 당황하는데 답변이 왔다.

[초록용용이 : 작품들이 반응이 좋아서 그냥 이야기나 해 볼까 하고요! 큰 의미가 있는 말은 아니고요! ㅜ_ㅜ]

"뭐지 보통 작가랑 플랫폼 직원이랑 만나면 보통 상대가 사지 않나? 초월자라 돈도 많을 텐데."

생각보다 쪼잔하네. 라고 생각하면서도 답장을 쓴다. 괜히 심기를 거스를 필요는 없으리라.

[킬리언스 : 그럼 공모전 인세 나오는 대로 한번 뵙겠습니다!]

[초록용용이 : 네 그럼 다음에 뵈어요!]

그렇게 대화가 끝난다. 나는 체다의 배를 두들겨 대화창을 꺼 버리고 리벤지를 켰다.

"괜히 미뤄졌네."

100억을 과금할 차례다.

"후욱…… 후욱……."

가쁜 호흡을 진정시키며 계좌에 들어온 100억을 몽땅 과금한다.

"이 정도 돈이면…… 사치 가능하다!"

나는 당장 거래소에 들어가 9강화 행운 장비들을 다시 샀다. 요즘 플레이어 수가 많아져서 그런지 거래소가 아주 활발하다.

'이 상태에서 히페리온을 들면 [금빛 중첩] 버프가 9중첩!'

전설 장비 드랍률 900%!

심지어 그것이 [신검합일] 효과로 1,800%까지 증가한다.

"거기에 이것도 있지."

나는 왼쪽 팔목에 걸려 있는 시계를 바라보았다.

초월병기(超越兵器). 제로섬(zero-sum).

드디어 이것을 활용할 때가 되었다.

"하지만 그 전에."

나는 자리에 앉았다.

"로그인."

아르데니아로 들어간다.

"플라워."

"네, 폐하."

"성을 승급시키겠다."

"……즉시 알리겠습니다."

플라워가 나간다. 집무실 창문으로 도시를 내려다보자 요란스러운 종소리와 함께 건물에 있던 병사와 기사들이 뛰어나오는 모습이 보인다.

대단히 큰 소란은 아니다. 대지성에 본격적인 도시로 개발된 게 아니라 나를 보필할 친위대와 그들을 보조할 병사들이 대기하고 있었을 뿐이기 때문이다.

나는 그들이, 그리고 무엇보다 지하에 있을 모든 인원이 안전한 곳으로 피하기까지 기다린 후 성주 메뉴를 터치했다.

[완벽한 요새 도시(영웅)를 대지의 신전(전설)으로 업그레이드 합니다!]

쿠구궁!

성 전체가 흔들린다. 나는 바로 활성화 된 다음 버튼을 눌렀다.

〈대지의 신전(전설)이 신화의 영역으로 승격합니다!〉

〈성주의 선택이 진행 중입니다.〉

신화성은 가진 테마에 따라 지을 수 있는 부속 건물의 종류가 달라진다.

예를 들어 수목원 테마로 하면 거대한 화원을 지을 수 있고 동물원 테마로 하면 이런저런 몬스터나 신수들을 채워 넣을 수 있는 것.

물론 현 제국 상황에 최고 효율은 기가스 랜드, 그 때문에 모든 성의 테마를 동일하게 맞췄지만.

'여기는 좀 다르게 하자.'

〈예술과 축제의 성!〉

〈페스티벌 랜드(신화)가 등장합니다!〉

끼기긱! 쿠궁!

돌로 만들어진 성벽에 마치 물감이 퍼지듯 오색이 퍼진다. 단순히 구조물만 바뀌는 것이 아니라 성벽을, 바닥을, 건물을 이루는 재질부터 변화하는 과정!

도시를 구성하는 디자인이 근본부터 뒤바뀌는 그 모습은 그걸 지켜보는 이들로 하여금 이것이 현실인지 의심하게 만든다.

중세풍이었던 도시가 현대를 넘어 미래적인 디자인으로 바뀌는 모습을 기사와 병사. 그리고 상인들이 입을 떡

벌리고 바라보고 있다.

'어?'

슬쩍 내려다보니 중앙광장 근처에서 패드를 들고 있는 플라워의 모습이 보인다.

성의 승급 장면을 촬영하고 있다.

"용케 그걸 찍을 생각을 하네."

기특해하며 웃는 동안에도 구매한 승급들이 적용되고 있다.

〈길드 타워(영웅)를 길드 타워(전설)로 업그레이드를 시작합니다!〉

〈길드 타워에 종합통제실(전설)의 설치를 시작합니다!〉

쿠구궁!

땅이 삽시간에 멀어진다. 정확히 말하자면 건물이 대나무 자라듯 영주성이 쑥쑥 덩치를 키운 것이다.

그뿐 아니라 성벽이 주변 땅을 밀어 버리며 멀어진다. 주변 평야와 산을 통째로 밀어 버리며 성의 넓이 자체를 넓혀 버리는 것!

성벽 또한 순식간에 자라나 아파트 단지만큼 두껍고 높아진다.

그 모습 자체는 기가스 랜드와 크게 다를 게 없었지

만…… 그 재질이 다르다.

"허허. 알고는 있었지만."

페스티벌 랜드의 성벽은 돌도 철도 아니다.

무려 디스플레이.

성의 안과 밖이 다 화면인 덕분에 성주인 내가 원하는 영상을 재생시킬 수 있다.

"게임에서야 내구도가 똑같지만…… 현실에서는 이야기가 다르겠지."

쉽게 부서지지는 않겠지만 아무래도 통짜 강철인 기가스 랜드의 성벽보다는 못할 것이다.

그러나 무슨 상관인가?

"그만큼 방어 타워를 더 지으면 그만인데."

이 성에 머물 예술가들이 거기에 소모되는 이상의 재화를 벌어 줄 것이다.

〈50개의 거주지를 통합합니다. 주상 복합단지(희귀)를 건설합니다!〉

〈10,000석 콘서트장(희귀)의 건설합니다!〉

〈대형 음악실(고급) 2개를 건설합니다!〉

〈2,000석 반원형 극장(고급) 2개를 건설합니다!〉

빈 땅에서, 혹은 이미 있는 건물들을 합치며 건물들이 쭉쭉 솟아난다. 그 모든 과정에 다이아가 소모되었지만 투자라 생각하고 감행했다.

"그리고 방어 건물도 지어야지."

〈헤븐 링 사출기(영웅) 30기 건설을 시작합니다!〉

〈콘서트 캐논(영웅) 30기 건설을 시작합니다!〉

최대치까지 팍팍 박아 넣었다. 총화기 대신 존재하는 수성 오브젝트. 전쟁 기타(희귀)와 전쟁 드럼(희귀)도 1만 개씩 샀다.

오랜만의 폭풍 과금에 가슴이 웅장해진다.

"아, 너무 좋다."

만족스러워하며 집무실의 창밖을 본다. 화사한 도시가 내려다보인다.

"역시 풍경은 훨씬 좋네."

기가스 랜드가 지금껏 중세랜드의 도시 따위와 비교도 안 되는 화려함으로 제국민들의 혼을 쏙 빼놓았지만, 그럼에도 군사 도시의 느낌을 벗어날 순 없었다.

성벽도 금속, 건물들도 죄다 금속이니 어쩔 수 없는 일.

반면 페스티벌은 랜드는 훨씬 화사하다. 지구. 그중에서도 관광지나 놀이공원에 가까운 분위기다.

띵.

엘리베이터를 타고 1층까지 내려오자 기사와 병사들이

깜짝 놀라 예를 표한다. 나는 가볍게 손을 들어 답해 준 후 플라워에게 말했다.

"미리 정했던 대로 길드 타워에 친위대를 머물게 해. 병사와 상인들에게도 집을 배분해라. 사용해도 되는 집은 문이 열릴 것이다."

"네 폐하. 작가들은 어떻게 할까요?"

그녀의 말에 나는 저 멀리 보이는 거대한 건물. 그러니까 주상 복합단지를 가리켰다.

"3층부터 거주 구역이다. 작가 등급에 따라 배분하도록. 층이 높아질수록 방의 넓이도 넓어질 거다."

내 말에 담긴 기색을 느낀 듯, 플라워가 묻는다.

"나가실 예정입니까?"

"와일드 보어에 다녀 올 생각이다. 저녁까지는 돌아올 테니……."

순간 멈칫한다. 기묘한 감각이 느껴진다.

"이 느낌은."

왼팔을 들었다. 지구에서 아르데니아로 올 수 있는 유일한 물건, 초월병기 제로섬이 진동한다.

"벌써? 멀린이 수를 찾아 부르는 건가 아니면 이벤트인가?"

이벤트는 특정 확률로 벌어지는 [사건]이다. 내가 100만 포인트 분량의 아이템을 제로섬에게 먹였다면 지금이 사건을 저장해 내가 원하는 순간에 발동시킬 수 있었겠지.
"아, 이런."
그러나 아직 개방시키지 못했다. 요새 너무 바빠서 신경을 못 쓴 것!
때문에 나는 속절없이 끌려가게 되었다.
팟!
단번에 배경이 변한다. 그러나 그 변화가 그리 극심하지는 않다.
왜냐하면 내가 도착한 곳도 현대적인 분위기의 도시였기 때문이다.
"뭐야…… 현대?"
의아하는 순간.
후우우웅!
붉은 로브를 입은 누군가 내게서 멀어진다. 순간 나한테서 도망치는 건가 싶었는데 그건 아니고 그 뒤를 추격하는 오토바이가 있었다.
오토바이에 탄 그는.
경찰이다.
"아니 뭐야, 이 상황은?"
내가 혼란스러워 하거나 말거나 경찰이 도망가고 있는 붉은 로브를 가리키며 소리친다.
"저놈 잡아라! 리얼리스트(Realist)다!"
그 외침에 길을 오가던 사람들이 비분강개한다.

"리얼리스트라니 이런 사악한! 잡아라!"

"나도 돕겠소!"

"덱(Deck)!"

수많은 사람이 한 사람을 쫓아간다. 그렇게 그들 모두가 멀어지자.

팟!

어느새 나는 붉은 로브의 사내 옆에 서 있었다. 당연히 직접 이동한 것은 아니다.

'이거 아무래도……. 이 녀석에게서 일정 거리 이상 벗어나지 못하는 모양인데?'

내가 따라붙자 살짝 허공에 떠 날아가고 있던 사내가 고개를 돌려 나를 확인한다.

"뭐야. 네가 여기 왜?"

그는 멀린이었다.

"……지금 쫓기고 있는 겁니까? 저런 사람들한테?"

고개를 돌려 그를 추격하는 사람들을 바라본다. 이제 완전히 자리 잡은 기감이 그들의 수준을 읽어 낸다.

강자는 하나도 없다. 다들 이능력자로 보이지만, 멀린 정도의 존재라면 일격에 수만 명씩 학살할 수 있는 수준에 불과하다.

"제길. 여기는 무력으로 상황을 해결할 수 있는 장소가 아니…… 제길, 잡혔다!"

팟!

순간 바닥에 원형의 필드가 펼쳐진다. 어느새 따라온 경찰과 멀린이 필드의 양 끝에 서 있다.

경찰이 카드 뭉치를 꺼내 든다.

"이 덱으로 너를 체포해 주마!"

"아……. 아아! 진짜 스트레스 받아!! 너! 바쁘니 나중에 와!"

멀린이 나를 툭 하고 밀자 공간이 일그러지며 새로운 세상이 삽시간에 멀어진다. 그리고 그 너머에서 서로를 마주 보며 카드 뭉치를 꺼내 드는 두 사내가 보인다.

그들이 외쳤다.

"듀얼(Duel)!"

"듀얼(Duel)!"

팟!

어느새 나는 아르데니아로 돌아와 있었다.

"……."

잠시 멍하니 서 있다.

이럴 땐 대략 정신이 멍해진다.

"폐하?"

나를 부르는 플라워의 목소리에 정신을 차리고 뒤를 돌아본다. 별생각 없는 상태였음에도, 초인적인 감각이 그녀의 자세, 눈매의 각도, 손의 위치를 확인한다.

자연스레 깨닫는다.

'아르데니아의 시간이……. 흐르지 않았다?'

그걸 확인함과 동시에 말한다.

"로그아웃."

지구로 돌아가 시간을 확인하고 멈칫한다.

"……지구도 안 흘렀는데?"

아르데니아는 완전히 독립적인 시간축을 가지고 있다.

그 기준은 바로 나.

내가 아르데니아로 들어오면 아르데니아의 시간이 무한대에 가깝게 가속된다. 반대로 지구로 나가게 되면 아르데니아의 시간이 정지된다.

그런데 아르데니아에 있던 내가 멀린의 다크 스타 속으로 끌려 들어가자, 다시 아르데니아의 시간이 멈췄다.

'아니, 잠깐.'

아르데니아에서 20년을 살았어도 현실에서는 1초도 지나지 않았었다.

현실의 시간이 멈추는 게 아니다.

아르데니아의 시간이 무한히 가속한 것.

그런데 그 무한히 가속된 시간 속에 어떻게 [다른 시간]대의 이벤트가 끼어들 수 있단 말인가?

'모순 아닌가? 말이 안 되는데?'

잠시 혼란에 빠진다. 어떤 방식으로도 설명할 수 없는 시간선이었기 때문이다.

뭔가 [주관적인] 기준이 없는 이상은…….

"괜찮으신 겁니까?"

"아, 미안. 잠시 생각할 게 있어서. 저녁까지는 돌아올 테니 정리를 부탁해."

"조심히 다녀오십시오."

"그래. 나와라, 카심."

팟!

허공에서 모습을 드러낸 카심의 등에 올라타자 카심이 땅을 박차고 하늘로 날아오른다. 나는 북동쪽으로 방향을 잡은 뒤 멀린을 만났던 세계를 떠올렸다.

"그러고 보면 특이한 세상이긴 했지."

아주 잠깐 훔쳐봤을 뿐이지만 그곳이 어떤 세상인지 짐작하기는 어렵지 않았다.

카드 게임이 모든 것을 결정하는 세상.

"무슨 경찰이 체포를 카드게임으로 하냐……."

멀린쯤 되는 무지막지한 수준의 마법사조차 휘둘리는 걸 보니 다른 수단이 금지된 모양이다.

내가 다이아 뻥튀기를 했더니 과금력이 마이너스가 됐듯이 말이다.

"여러모로 운이 없는 녀석이네."

멀린은 [그녀]의 사도로 지정되며 잃어버린 마나 감응력을 당일 저녁에 스스로 수술해 해결했다.

나 한 명을 수술하기 위해 무려 대마법사 네 명이 엄청난 물자와 일주일의 시간을 들였다는 걸 생각해 보면 그가 얼마나 무시무시한 실력의 마법사인지 알 수 있으리라.

"그런데 설마 그런 식으로 고통 받고 있을 줄이야."

[그녀]의 사도로 지정된 12명의 플레이어 중 9명이 죽고 우리 셋이 남았다. 게임 속으로 끌려가 적응한 이보다 버티지 못하고 죽은 이들이 훨씬 많다는 것!

그것이 무엇을 뜻하는가?

'죽으면 죽는다는 뜻.'

게임에서 죽으면 부활하는 게 보통이다. 당장 내가 들어온 리벤지만 해도 하루에 수십 번도 더 죽을 수 있는 게임이다.

하물며 패키지 게임은?

로그 라이크, 소울 라이크류 게임은 죽는 걸 전제로 게임이 굴러 간다. 마나마저 금지된 채 그런 게임에 던져진다면 죽을 수밖에 없으리라.

그러나 멀린은 어떤가?

"오히려 신났겠지."

그의 실력이라면 어떤 게임에 들어갔어도 다 박살 낼 수 있었을 것이다. 죽음을 전제로 한 게임에 들어가도 웃으며 이겨 낼 실력이 그에겐 있었다.

그러나 그가 들어간 곳은 카드 게임.

자기가 만든 게임이니 자업자득이라고도 할 수 있겠지만 누가 게임을 만들면서 그 게임 속으로 들어갈 걸 생각하겠는가?

"반면에 뭉개진 자루인가 하는 녀석은 운이 좋네."

AOS 게임은 죽자면 무수히 죽는 게임이지만 안 죽자고 버티면 얼마든지 버틸 수 있다.

그래. 간단하다.

그냥 본진에서 버티고 있으면 되니까.

물론 오 대 오 게임에서 그따위로 버티면 멤버 한 명이 빠진 셈이 되어 팀이 패배하겠지만 승리가 목숨보다 중요하겠는가?

"둘의 게임이 바뀌었으면 차라리 나았을 텐데…… 뭐 다 소용없는 이야기지만."

그렇게 중얼거리며 슬쩍 고개를 들어 빠르게 가까워지는 와일드 보어 성을 바라보았다. 카심의 모습을 발견한 듯 도시가 술렁이는 모습이 보인다.

그러나 그보다 중요한 건 던전 근처에 쌓여 있는 고기 산이다.

"좋아, 잘 모아 놨군."

쿵!

카심이 땅에 내려서자 고기 산 옆에 서 있던 병사들이 예를 취한다.

"위대하고 위대하신 황제 폐하께-! 경례!"

"충!"

"그래."

나는 적당히 손을 흔들어 주고 고기 산을 향해 다가갔다. 정확히 말하면 고기만 있는 것은 아니어서 상점 판매용 아이템인 멧돼지 어금니와 옆 도시에서 넘어온 고블린족 인장 등이 보인다.

나는 그것들을 향해 왼팔을 뻗었다.

지구에서 아르데니아로 가져올 수 있는 유일한 물건.

초월 병기 제로섬이 빛을 뿜는다.

웅!

산처럼 쌓여 있던 일반 등급의 아이템이 한순간 흐릿해지더니 그대로 뭉개지기 시작한다.

그리고.

[멧돼지][고기][멧][돼지][고][기][ㅁ][ㅔ][ㅅ][ㄷ][ㅗ][ㅐ]……

멀쩡하던 물질이 흩어져 텍스트로 변한다. 산산이 흩어진 텍스트들이 바람에 휩쓸린 흙먼지처럼 휩쓸린다.

파파팟!

텍스트가 제로섬에 빨려 들어가기 시작하자, 산처럼 쌓여 있던 아이템이 삽시간에 줄어든다.

[0.4][0.5][0.6][0.7][0.8]……

일반 등급의 아이템 하나가 빨려 들 때마다 0.1포인트가 오른다. 턱없이 적은 수치지만 상관없다.

강화로 파괴되는 장비류나 조합으로 소모되는 멧돼지 가죽과 달리 그저 먹는 게 전부인 멧돼지 고기는 다 소모되지 못하고 쌓여 가던 상황이기 때문이다.

상점 판매용 아이템인 멧돼지 어금니와 고블린족 인장 등은 더 말할 필요도 없다.

상점이 없는데 이 잡동사니들을 어디에 팔겠는가?

파파팟!

삽시간에 산더미 같던 아이템 중 태반이 사라진다. 그리고 어느 순간.

웅!

짧은 공명음과 함께 제로섬이 은은한 빛을 뿜어낸다.
나는 제로섬의 정보를 확인했다.

[제로섬(zero-sum)]

이득과 손해를 합치면 제로가 된다.

[드랍 조정 2단계] 전설 이상의 아이템을 획득할 시, 그것을 없던 일로 하는 대신 그 확률을 저장한다.

저장된 확률은 원하는 시기에 발동 가능.

3단계 상승까지 10,000포인트 필요.

[이벤트 조정 1단계]

[개방에 100만 포인트 필요.]

"좋아, 성장했군."

그러나 흡수를 멈추지 않는다. 멈출 이유가 없었다.

남아도는 일반 등급 아이템은 아직도 많기 때문이다.

"이쪽입니다."

그렇게 고기를 다 흡수한 후에는 창고로 이동해 가득가득 쌓여 있던 상점 판매용 아이템까지 모조리 흡수했다. 그리고 그러자.

"……좋아. 3단계다."

드랍 조정이 3단계가 되어 영웅 등급의 아이템의 드랍까지 저장할 수 있게 되었다.

4단계가 되기 위해서는 10만 포인트. 즉, 일반 아이템 100만 개가 필요한 상황이 되었다.

'100만 개라.'

아무리 일반 아이템이 남아돌아도 그만한 규모로 모으기는 쉽지 않은 일이다.

다만 방법이 있었다.

팟!

[1]

고급 등급의 아이템을 찾아 먹이니 1포인트가 오른다.

[11]

희귀 등급의 아이템을 찾아 먹이니 10포인트가 올랐다.

"열 배씩 오르네."

즉, 영웅 등급을 먹이면 100포인트가 오른다는 말이지만 머리에 총 맞은 것도 아니고 그런 미친 짓을 할 이유가 없다.

등급이 올라갈 때마다 효율이 10배씩 뛴다지만, 리벤지의 등급별 아이템 가치는 고작 10배 정도가 아니기 때문이다.

쿵!

"크아아아앙--!"

카심이 하늘로 날아오른다. 나는 멀어지는 와일드 보어 성을 뒤로한 채 인벤토리를 열었다.

"하지만…… 이건 어떨까?"

나는 다크 메시아를 잡고 얻었던 18장의 전설 카드 중 하나를 꺼내 들었다. 이것은 전설 등급이니 계산상 1,000포인트가 올라야 한다.

그러나 내가 전설 카드를 이벤트 조정 1단계 개방에 투자하는 순간.

웅!

즉시 제로섬이 공명한다. 나는 변경된 아이템 정보를 확인했다.

[제로섬(zero-sum)]

이득과 손해를 합치면 제로가 된다.
[드랍 조정 3단계] 영웅 이상의 아이템을 획득할 시, 그것을 없던 일로 하는 대신 그 확률을 저장한다.
저장된 확률은 원하는 시기에 발동 가능.
4단계 상승까지 99,988포인트 필요.
[이벤트 조정 1단계]
대형 이벤트 발생 시, 그것을 없던 일로 하고 대신 그 확률을 저장한다.
2단계 상승까지 1,000만 포인트 필요.
[변수 조정 1단계]
[개방에 1,000만 포인트 필요.]

"……역시 그렇군."
100만 포인트가 한 방에 해결되었다. 무려 1,000배의 효율. 단순 게임의 아이템보다 현실에서도 존재할 수 있는 물건이 훨씬 많은 포인트를 가지고 있다는 말이다.
"하긴. 아르데니아의 물건을 현실에서 존재하게 하려면 과금력이 필요한데 이 아이템들은 처음부터 그게 가능하지."
즉 현실의 몬스터들이 드랍하는 물건들은 아이템이 현실에 존재할 수 있게 하는 힘. 그러니까 과금력과 같은 계통의 힘을 이미 품고 있다는 말이다.
웅!

바로 10장의 전설 카드를 추가로 갈아 버렸다. 이로써 전설 카드는 7장이 남았다.

'솔직한 마음으로는 다 가지고 있다가 멀린과의 교환에 쓰고 싶지만…….'

그러나 일단 이벤트 조정을 2단계로 올려 둘 필요가 있었다. 다른 게임으로 끌려가는 이벤트가 [대형]인지 아닌지 알 수가 없었기 때문이다.

어쨌든 이벤트 조정이 2단계가 되어 중형 이벤트에 간섭할 수 있게 되었다.

"뭐, 이건 이쯤하면 되었고."

나는 불어오는 바람을 맞으며 캐시숍을 열었다.

전혀 계획에 없던 광고지만, 그 결과 얻게 된 돈은 너무 어마어마해서 그간 시간과 인프라를 만들어 벌어들이고 있는 인세와 맞먹을 정도다.

'아니 어쩌면 그 이상이지. 설마 이렇게 날로 먹게 될 줄이야.'

선수금으로만 100억.

대지성을 신화급으로 올리고 부속 건물까지 지으며 많이 소모했지만 아직도 꽤 남았다. 물론 다른 성들의 부속 건물을 지어야 한다는 점에서 완전히 여유로운 것은 아니지만, 광고를 찍고 나면 200억이 추가로 들어온다.

'이거 참. 100억, 200억 쉽게 말하는 처지가 되다니.'

물론 그렇게 엄청난 돈을 벌어서 내가 해야 할 일은 명확하다.

과금이다.

"드디어…… 때가 되었다."

리벤지에는 극히 효율이 떨어지는 과금이 존재한다. 들어가는 돈은 어마어마한데 이득은 미미한, 그래서 평범한 플레이어는 손도 안 대는 서비스들.

흔히 말하는 핵과금.

직업 숙련도, 클래스 각성, 장비 각인, 명성 개방.

각기 다른 방식의 과금들이지만 효과는 똑같다.

'스텟이 증가하지. 물론 장비 각인의 경우는 치명타나 명중률. 심지어 행운까지 노려 볼 만하지만 장비에 붙는 효과라 현실에서는 이득이 없어.'

어쨌든 그 효율 안 좋은 과금을 하는 이유는 뻔하다.

충분한 과금으로 한계에 이른 스텟을 그 위로 끌어올리는 것! 이 핵과금으로 인해 플레이어들은 900포인트가 넘는 초월 스텟을 개방하게 된다.

'800스텟의 근력도 미쳐 돌아가는데 900스텟은 과연 어떨까?'

게임이니 이리 쉽게 초월 스텟에 도달하는 것이지 현실에서는 초월자도 900스텟을 달성하는 경우가 드물다. 아무리 초월을 거듭해도 생명체의 육체 성능에는 한계가 있기 때문이다.

단적인 예로 드래곤조차도 근력으로는 900스텟을 찍

지 못한다.

마력이 900스텟이지.

“하지만 꼭 스텟을 먼저 찍어야 하는 건 아니지.”

다른 선택지도 있다.

바로 스킬.

일례로 전설 스킬 검강(劍罡)을 신화 스킬 검강(劍剛)으로 승급시키기만 해도 내 전투력은 드라마틱하게 상승한다.

다른 격(格) 없이 검강만 들면 진검을 든 아이나 다름없다는 말이 있지만, 그 ‘잘 드는 칼’이 없어서 마검왕 히페리온에게 몇 번을 죽을 뻔했던가?

“아, 도착이다.”

이런저런 생각을 하는 사이 대지성에 도착한다.

팟!

카심을 소환 취소하고 대지성의 길드 타워에 내려섰다.

“우와!”

“세상에 이토록 아름다운 도시가…….”

“우리 정말 여기에서 사는 거예요 아빠?”

아래를 내려다보니 지하대로를 통해 수많은 사람이 모습을 드러내고 있다. 내가 병사와 기사들을 보내 불러들였던 작가들이 하나둘 도착하기 시작하는 것이다.

“문화 역군들이 모여드는군.”

절로 미소가 피어오르는 것을 느끼며 옥상의 문을 통해 길드 타워에 들어선다. 비서실에 앉아 패드를 두들기고 있던 플라워가 자리에서 일어난다.

"다녀오셨습니까. 식사는 하셨는지요?"

"준비해 줘."

"네, 폐하."

집무실로 들어가 자리에 앉는다. 테이블 위의 원고는 몇 장 남지도 않았다.

"이것들을 더 닦달해야 하나? 아니면 예선에서 떨어진 것들도 쓸까?"

그러나 예선이 괜히 예선이겠는가? 공모전에 들어온 작품 중 태반이 불쏘시개라서 아무리 효율이 좋아도 옮겨 쓰는 거 자체가 시간 낭비인 작품들이 많다.

보물급 서적과는 상황이 다르다.

후원이 붙는 보물급 서적은 조회 수가 1이어도 상관없지만 보통 작품들은 그렇지가 않다.

"하기야 이 몇 작품들이 예외적인 케이스지."

나는 따로 빼둔 황제기사 네버와 귀로, 그리고 새순이 돋을 때를 바라보았다.

순차적으로 쓰고 있는 만큼 세 작품 모두 5권.

나는 그중 새순이 돋을 때를 뽑아 들었다.

가장 분량이 적으니 먼저 끝내기로 한 것이다.

"로그아웃."

두두두두두!

필사를 시작한다.

새순이 돋을 때는 3개의 파트로 나뉘어져 있다.

문학을 좋아하던 남작가의 영애. 느티나무가 귀족가의 장녀로 자라나며 사람에 기대하고, 또 실망하는 이야기.

가문이 몰락하며 자신을 노리는 귀족들의 마수에서 탈출하는 이야기.

그리고 최후까지 자신을 지켜 준 평민 출신의 기사와 함께 가정을 꾸리고 현실과 싸워 가는 이야기.

'일종의 자서전(自敍傳)이다.'

뛰어난 학식이나 미모를 가지지는 못했지만, 더없이 지혜롭고 차분한 한 소녀가 거친 세상을 헤쳐 나가는 이 이야기의 배경이 현실이라는 건, 책을 읽다 보면 어렵지 않게 알 수 있다.

[……바닐라가 재잘재잘 떠들었다. 북부에 관한 이야기. 이방인, 용병의 몸으로 영주의 자리에 오른 늑대 기사에 대한 이야기였다…….]

"내가 엑스트라로 나오네."

지구에서야 그냥 지나가는 이야기라고 인식하겠지만 아르데니아 사람이라면 누구나 알아볼 문장에 큭큭 웃으며 필사를 이어 나간다.

그러나 그러다가.

멈칫한다.

[……바닐라가 창백해진 얼굴로 말했다.

"지마일이 괴물들에게 점령당했데요! 사람들이 잔뜩 죽었다고……!"

"자자 바닐라. 천천히. 후…… 하……."

"후…… 하……."

"그래. 진정하고 말해 보렴. 마수들을 말하는 거니?"

"아니에요! 냉기를 뿜어내는 괴물이라고……."]

"아, 아니, 잠깐잠깐. 잠깐만. 잠깐만. 잠깐만."

필사를 멈춘다. 등에서 식은땀이 흐른다.

새순이 돋을 때는 누가 뭐래도 명작이다. 내가 매일 이렇게 필사를 한다 해도 그녀와 같은 작품을 써내는 것은 불가능하겠지.

문제는 이게 자전적 소설이며.

실화 기반이라는 것이다.

"……."

그렇다. 실화 기반이다.

그리고 아르데니아에서는 난데없이 게이트가 열려 인류가 떼죽음을 당한 것이 실화다.

"이게 실화냐……?"

필사를 이어 나갈 수가 없다.

이 앞에 나올 내용이 두려웠다.

"아, 아니 잠깐만. 안 돼. 이 흐름이면……."

두려움에 온몸이 떨린다.

다 된 명작에……

게이트를 끼얹는다고……?

"아, 이걸……."

잠시 고민한다. 이걸 이대로 놔둬야 할 것인가? 느티나무 작가를 협박해서라도 내용을 수정해야 하는 게 아닐까?

내가 지금 쓰고 있는 부분은 7권이다.

제국 공모전 조건이었던 '최소 5권 이상'을 맞춰 5권에 챕터 2가 완결되고 챕터 3 노년편이 이어지고 있던 것.

'아, 이럴 줄 알았으면 5권에서 완결 처리할걸…….'

새순이 돋을 때는 챕터별로 이야기가 완성되는 작품이다. 떡밥이야 조금 남겠지만 그대로 끝내도 명작의 위상에 별다른 흠집이 나거나 하지 않는 수준.

즉, 5권에서 소설을 완결 처리했어도 아무런 문제가 없다는 말이지만.

'이미 6권 분량을 연재하기 시작한 상태다…….'

이미 노년편을 시작해서 심지어 꽤 진행한 상태인데 완결 처리는 어불성설이다.

결국 난 원고를 내려놓고 말했다.

“……플라워.”

집무실 문을 열고 플라워가 들어온다.

“네, 폐하.”

나는 느티나무를 부르라고 하려다 생각을 바꿨다. 이참에 작가들 얼굴을 봐 두는 게 나을 것 같았다.

“작가들을 한 명씩 불러줘.”

“순서는 어떻게 할까요?”

“점수순이 좋겠지. 급한 건 아니니 세 시간. 아니, 네 시간 후까지 준비시켜 줘.”

“즉시 전달하겠습니다.”

플라워가 나가고 나는 다시 필사를 시작했다.

“로그아웃.”

키보드를 두들긴다.

“로그인.”

책을 읽고 차크라 술식을 발현한다.

“로그아웃.”

키보드를 두들긴다. 내가 지금 동시에 연재하고 있는 작품 수는 402종.

‘슬슬…… 한계가 오는군.’

제국 문학 공모전 참가 조건이 최소 5권이었으니, 권수로 치면 2,000권이 넘는 분량을 필사하고 있다.

차크라 술식. 폭풍집필(暴風執筆)의 숙련도가 점점 올라가며 하루에 30권이 넘는 책을 필사하고 있지만 그럼에도 점점 밀리는 상황.

나는 4권까지 쓴 원고를 내던지고 말했다.

"플라워."

"네, 폐하."

"요번 주 공모전 갱신 때 뒤부터 100종의 작품은 탈락이라고 공지해라. 그리고 다음 주 갱신 때 다시 100종이 탈락. 그 후에는 50종. 혹은 10종 단위로 탈락할 수 있다는 것도 함께 공지해 줘."

"전달하겠습니다."

평균 조회 수 10짜리들이 너무 많다.

'한 편 연재하면 1,000원 버는 꼴이야.'

아무리 직접 쓰기보다 쉽다지만 이것들을 다 필사하는 건 시간 낭비에 불과하다.

'광고 한 방에 300억을 버는 상황에는 더더욱 그렇지.'

한 푼이라도 더 벌려고 편의점 알바까지 뛰던 때와는 여러모로 입장이 달라졌다.

"로그아웃."

지구로 돌아가 읽었던 내용을 필사한다.

어느새 오룡 공모전이 시작한 지 45일이 지났다. 이벤트 기간이 60일이니 4분의 3이 지난 상황.

내가 연재하는 작품들은 분량에 따라 4권에서 6권 정도로 진행되고 있다.

"어디 보자 성적이 좋은 건……."

[황제기사 네버]는 어느새 9위에 도달했다. 오룡 공모전의 1위에서 30위까지 다 기성 작가라는 걸 생각해 보면 놀라운 성적이다.

"고인물 판의 신성이로구만."

그다음으로 높은 등수인 [귀로]가 48위라는 걸 생각해 보면 엄청난 차이다. [폭군 생존기]가 68위, [나의 생존]은 71위.

그리고 [새순이 돋을 때]가 92위다.

"화제에 비하면 등수가 낮네."

그러나 당연한 일이다. 누가 장르 소설 공모전에서 문학 작품을 보고 싶겠는가?

이런 소재, 이런 주제로 이 장르 소설 공모전에서 100위 안에 들었다는 게 오히려 놀라운 일이리라.

"어디 보자……."

나는 새순이 돋을 때의 최신 화를 확인했다.

새순이 돋을 때 6권 7화.

구매 수 : 927 추천 : 404 댓글 : 464

"정상이 아니야, 정상이……."

구매 수가 1,000도 안 되는데 추천 수가 400이 넘는다.

보통은 40이 간신히 넘는 게 정상이라는 걸 생각해 보면 그야말로 비정상적인 수치. 하물며 댓글은 어떤가?

"무슨 댓글 수가 조회 수 절반이야……."

이번 편만 특이한 게 아니라 매편 저 모양이다. 리플 수로만 치면 노벨 아레나 랭킹 1위보다 많다.

↳해쉬태그 : 아니 진짜. 진짜 주인공 마법 하나도 안 익혀? 그냥 간단한 마법기라도 하나 주우면 되잖아.

↳바람이려오 : 챕터 3까지 와서 무슨 소리를 하시는 거예요? 지금 그런 거 끼어들면 캐릭터랑 상황 전개 다 무너집니다.

↳별바다 : 후치 검강 휘둘러 드래곤 목 따는 소리 마시고 취향 안 맞으면 뒤로가기 하세요.

↳卄卄2020 : 후치가 뭔데 씹덕아

↳해쉬태그 : 아니 조합장이 바닐라한테 눈독을 들이잖아! 심부름도 콕 찝어 시키잖아! 저놈만 잡아 죽이면 안 돼? 아. 너무 답답해!

↳별바다 : 아니 중세시대잖아요. 저 정도야 흔히 일어나는 일이에요.

↳卄卄2020 : 아 속 터지네 진짜. 당위성 좋아하는 모양인데 전직 기사 출신이 일반인 수준에서는 살인 기계인 게 당연한 사실이거든? 손녀가 위기에 처했는데 겨우살이가 가만히 있는 게 더 말이 안 되거든?

↳별바다 : 겨우살이 60살이에요…… 늙었잖아요.

↳뀨뀨2020 : 완전 젊구먼!

↳버둥버둥 : 그건 34지구 기준이지 이 양반아…….

댓글 창은 오늘도 시끄럽다.

사실, 이 정도만 해도 온화한 분위기고 어그로 분탕 종자가 끼어들어 싸움이 붙는 경우가 허다하다.

조롱, 경멸, 무시와 설명으로 매 순간 댓글이 무한 증식하는 상황.

"와. 이제 6권인데 여기까지 따라오며 저러는 것도 신기하네."

다른 작품은 악플을 달거나 말거나 신경 안 쓰는데 [새순이 돋을 때]의 독자들은 일일이 반응해 주기 때문인 것 같다.

"그래도 참 신기하지…… 여기에 악플을 달 정도면 어쨌든 새순이 돋을 때를 6권이나 읽은 거 아닌가?"

나는 신기해서 무심코 중얼거렸다.

"대체 뭐 하는 사람들이야?"

* * *

게임 마스터의 사도, 한재연이 참여하는 광고 준비 현장.

그곳은 전 세계, 아니 어쩌면 전 우주에서 화제인 장소다. 몬스터 사태에 대응해 게임 마스터가 자신의 공간을 특별히 개방했기 때문이다.

“그럼 온 우주에 쏟아질 몬스터를 이 한 장소에 집중시킨다는 말이군요.”

“온 우주는 최종적인 목표고 일단은 레온하르트 제국에 적용될 계획이라고 합니다. 게임 마스터님의 위대하신 권능이죠.”

게임 마스터의 유도 장치가 인기 예능 프로 서바이벌 아일랜드에서 사용되면서 큰 사고가 벌어졌다.

초월급 몬스터를 포함한 무지막지한 몬스터 웨이브가 발동한 것!

자칫 잘못했으면 어마어마한 인명 피해가 발생했을 위기였지만 현장에 있던 파이브 드래곤의 존재로 인해 어떻게든 잘 수습되었다.

여기가 끝이라면 그냥 방송 중 일어난 해프닝 정도겠지만, 중요한 것은 그 이후 온 우주를 괴롭히던 몬스터 사태가 급락했다는 것이다.

“그리고 여기가 바로 그 배틀 스테이지란 말이군요!”

“그렇습니다.”

네메시스의 대표, 배사랑은 광고 촬영에 앞서 인터뷰를 진행하고 있었다. 그 장소는 34지구의 사람들에게도 특별한 의미를 지니고 있는 [강철계].

이번 몬스터 사태에 맞서, 게임 마스터는 그가 품고 있는 고유 차원 [강철계]를 개방했다. 정확히는 강철계에 온 우주의 몬스터를 모으는 거대한 배틀 스테이지를 만든 것이다.

"하지만 광고 촬영을 이런 곳에서 하면 위험하지 않을까요?"

"물론 안전이 최우선이죠. 다행히 제2군단에서 지원이 나왔습니다."

"2군단! 대단하군요. 혹시 수도 기계화 사단도 볼 수 있는 건가요?"

인터뷰는 순조로이 진행되었다. 게임 마스터가 만든 배틀 스테이지에 대한 소개, 거기에서 진행되는 리벤지 광고.

그 광고의 주인공인 한재연에 대한 이야기.

완전한 그리고 유일한 가상 현실로 자리 잡은 리벤지의 대규모 업데이트에 대한 이야기.

"천 스텟이라니! 권능 스텟 아닌가요?"

"단순한 과금이 아니라 기나긴 에픽 퀘스트가 필요한 방식이 될 것입니다."

"초월 등급 다음인 황제 등급이 개방되는군요! 과연 누가 그 절대의 경지에 오르게 될까요?"

"저희는 아무리 빨라도 3년은 걸릴 것이라고 예상하고 있습니다."

인터뷰 분위기는 화기애애했다. 대중적인 이미지가 아

주 안 좋은 리벤지였지만, 유일한 1급 심도를 달성함으로써 누구도 흉내 낼 수 없는 독점적인 입지를 확립했기 때문이다.

인터뷰가 끝나 갈 무렵.

인터뷰어는 사랑의 개인사에 대한 질문을 꺼냈다.

"정말 너무 아름다우신 것 같아요. 혹시 연애는 하시나요?"

"후후. 맘 같아서는 당장이라도 하고 싶죠. 하지만 일이 너무 바빠서 한동안은 여유가 없을 듯합니다."

"너무너무 바쁘신 거로 유명하신데요. 가끔 지치실 때 어떤 취미로 힐링하시나요?"

인터뷰는 미리 전달한 질문지에 따라 진행되고 있었기에 사랑은 차분한 표정으로 준비한 말을 내뱉었다.

"문학 작품을 주로 읽는 편이에요. 특히나 고전은 제 삶과 영혼을 살찌게 해 주죠."

"어머~ 너무 우아한 취미인 것 같아요."

사랑은 미리 외워 온 고전 명작의 감상평을 되뇌었다. 당연히 직접 읽은 건 아니고 명문대를 나온 비서에게 시켜 쓰게 한 내용을 외운 것이다.

'이제 좋아하는 고전 작가와 그 이유에 관해 묻겠지. 도스토옙스키의 치열하고 집요한 사유. 니체의…… 뭐였지? 아! 실어증적 언어의 난장판! 아 진짜 말 되게 어렵게 하네.'

그러나 인터뷰어의 질문은 그녀의 예상과 달랐다.

"혹시 최근 것 중에서 인상 깊게 본 작품이 있으신가요?"

"……!?"

초인적인 자제력으로 숨길 수 있었지만, 배사랑은 패닉에 빠졌다.

'최근 작품? 아니, 질문지랑 다르잖아!'

그러나 어쩔 수 없는 일이다. 아무리 질문지가 있어도 어찌 100% 질문지에 따라 인터뷰가 진행되겠는가? 어느 정도 인터뷰어의 재량도 존재하는 것!

"흠……."

고개를 갸웃하며 시간을 끌었지만 떠오르는 게 있을 리 없다. 왜냐하면, 사실 그녀는 문학 따위 읽지 않기 때문이다.

왜 얼마 있지도 않은 시간을 그딴 머리 아프게 하는 활자 나열로 낭비시켜야 한단 말인가? 재미없는 글은 읽는 것 자체가 고역이다.

'어떻게 하지? 편집해 달라고 할까? 당장 떠오르는 게 없다고 웃어넘겨?'

그러나 그 순간 그녀의 머릿속에 한 작품이 떠올랐다.

요 근래 악플을 달기 위해 매일 따라가고 있던 한 작품이.

"요새 본 작품 중에서는 새순이 돋을 때를 가장 인상

깊게 봤어요."

자연스러운 흐름에 인터뷰어가 멈칫했지만, 이내 웃으며 물었다.

"어머. 어떤 작품이죠?"

"쉽게 말하자면 중세 문학이에요. 내용도 훌륭하지만, 무엇보다 문장이 정말 아름다워 예술적 미학이라고 해도 부족함이 없을 정도예요. 웹소설 공모전에 이런 명작이 끼어 있다니 정말 놀랍다고 생각했죠."

"세상에. 그런 알려지지 않은 작품까지 알고 계시다니 문학에 대한 어마어마한 내공이 느껴지는데요~"

잠깐의 위기를 넘기며.

인터뷰가 계속 진행된다.

* * *

나는 광고 촬영을 위한 메이크업을 받으며 체다의 배를 두들겼다.

일단 안정적인 사냥터에 킬리언스팔팔을 보내고 오룡넷에 접속한다.

슬슬 상황판 갱신을 위해 구매 수를 확인해야 하는 상황.

그런데 노벨 아레나 랭킹에 이상한 내용이 보였다.

[새순이 돋을 때 (38위) NEW!]

순간 당황해 멈칫한다.

"……뭔데?"

너무나 갑작스러운 일이다. 100위 즈음에서 정체되어 있던 순위가 난데없이 38위라니?

깜짝 놀라 게시판에 들어가 보니 평균 조회 수가 3,000을 넘겼다. 단번에 3배가 넘게 뛰어오른 것이다.

'와, 이게 얼마야. 대충 계산해도…… 5천만 원에 가깝다.'

심지어 공모전 인세는 2배로 계산이니 이것 하나만으로 억대 수입이 발생했다. 물론 수수료가 좀 빠지기야 하지만 새순이 돋을 때는 아직 완결도 아니지 않은가?

서둘러 댓글을 확인했다.

↳무적김초코 : 얼마나 대단한가 와 봤는데. 와. 잘 쓰긴 했네요. 이런 곳에 이런 작품이 있을 줄이야.

↳차영춘 : 그야말로 진흙탕에 핀 연꽃입니다.

↳이숙경 : 하나의 시점에 고정하면서도 인물 하나하나에 대한 묘사가 놀라울 정도입니다. 캐릭터에 대한 집요한 고찰이 엿보입니다.

전체적으로 호평이다. 새로 유입된 독자들이 새순이 돋

을 때를 읽고 감탄하고 있었다.

물론 모두가 그런 것은 아니다.

↳마음의양식 : 퉤퉤! 아니 이게 뭐야 개노잼이잖아?

↳아니어쩌다 : 베스트 50에 못 보던 게 올라와서 좋아했더니 뭐 이런 게 올라왔음? 어뷰징 아님?

↳재밌으면짖어요 : 내가 정의신관님한테 신고해씀 ㅅㄱ여

↳해시태그 : 지루…….

↳은하철도19금 : 아니 왜 이런 글을 여기서 쓰세요?

두 부류의 독자가 충돌하며 댓글에서 투기장이 열린 건 당연한 일이다.

↳차영춘 : 아니 왜 이렇게 훌륭한 작품에 악플이 이렇게 많은 겁니까?

↳아니어쩌다 : 응 알바는 본진으로 돌아가시구요.

↳차영춘 : 뭐? 알바?

"어디에 홍보글이라도 올라온 건가?"

그러나 당장 그것을 확인할 상황은 아니었다.

"자, 복장 착용 도와드릴게요!"

"앗. 네."

일어나 두 팔을 벌리자 두 여인이 다가와 내 몸에 갑주를 걸쳐 주었다. 실전성보다는 근사한 외향에 집중한 디자인. 당연하지만 그게 뭔지 안다.

"별빛의 성갑."

"어머. 알아보세요?"

"알죠……."

신화 갑주다. 랭커인 [뉴클리어]만이 유일하게 다섯 파츠를 다 착용하고 있는 근접 클래스들의 워너비.

"뭐 당연하지만, 진짜 별빛의 성갑은 아니에요. 그에 준하는 아우라를 보여야 해서 8클래스급 주문이 네 개나 인챈트 되어 있지만요."

갑주를 다 입고 나자 사랑이 찾아온다.

"아, 재연 씨 죄송하지만, 계약서를 좀 수정해도 될까요?"

"수정이요?"

"네…… 광고 계약에 좀 문제가 생겨서……."

나는 화려한 갑주를 입은 채 그녀와 한편에 있는 사무실로 이동했다. 사랑의 뒤로 따라다니던 비서 칼튼이 차분한 표정으로 설명했다.

"재연 님의 광고비 지급으로 정의신의 경고가 내려왔습니다."

"아니, 정의신이? 왜요?"

주식을 다이아로 뻥튀기시켰을 때에도 별문제가 생기

지 않았는데 광고주가 책정하기 나름인 광고비에서 왜 문제가 생긴단 말인가?

의아해하는 내게 사랑이 설명했다.

“저희 리벤지는 페이투윈(Pay to Win) 게임이니까요. 재연 씨가 과도한 광고비로 스펙을 올린 뒤 공성전이나 대단위 전투에 참여하면 불공평한 게 아니냐는 이야기가 나오더니 개중 몇이 검찰청에 신고한 모양이에요. 어쨌든 주식만 있으면 누구나 시도할 수 있었던 저번 일과 달리 광고는 아무나 찍을 수 없으니까요.”

“게임사 돈 받고 키운 캐릭과 본인 돈으로 경쟁하고 싶지 않다는 의견이 공감을 얻고 있습니다. 이미 계약이 진행 중인데 이렇게 되어서 죄송합니다.”

꾸벅 고개를 숙이는 칼튼. 나는 어깨를 으쓱였다.

“그럼 광고비가 줄어드나요?”

내 말에 칼튼이 고개를 끄덕였다.

“그것도 방법입니다. 100억으로 줄이는 대신 과금에 쓰지 않으셔도 되지요. 아니면 일정 시간 동안 공성전이나 월드 레이드 등에 참여하지 않는다거나…….”

“아니, 뭐 굳이 그럴 필요도 없죠.”

나는 어깨를 으쓱였다. 뭔 일인가 했더니 전혀 문젯거리가 아니었다.

“과금한 모든 다이아와 아이템을 삭제하겠습니다. 그럼 문제없죠?”

"……."

"……."

게임사 대표와 그 비서가 멍청한 얼굴로 나를 본다. 나는 물었다.

"문제 있습니까?"

"아니요…… 없죠."

잠깐 혼란이 있었으나 결국 문제는 간단히 해결되었다.

나는 이왕 사랑과 마주한 김에 예전부터 생각하던 주제를 꺼냈다.

"저작권에 관해 이야기하고 싶습니다."

"저작권이요?"

"네. 제가 글을 쓰는 것들이 있는데. 그게 리벤지의 세계관을 어느 정도 차용하고 있어서요."

"말하자면…… 리벤지 팬픽?"

"조금 다른 느낌이지만 그렇게도 볼 수 있지요."

지금까지는 별문제가 없었다. 내가 연재하는 소설의 조회 수가 별로 높지 않았고, 리벤지의 배경 스토리 따위 아무도 관심 없는 종류의 것이었기 때문이다.

솔직히 그냥 양판소 세계관이라 봐도 기억을 못할 정도다.

'표절 시비도 어느 정도 인기가 있어야 터지는 거지.'

노관심과 노관심이 엮였는데 어찌 문제가 되겠는가? 다만 지금까지 그랬다는 것이지 앞으로는 다를 수 있다.

당장 황제기사 네버만 해도 노벨 아레나 9위에 자리하고 있고 새순이 돋을 때도 엄청난 화제를 일으키고 있는 상황이 아닌가?

아르데니아산 소설들과 리벤지의 설정은 아주 살짝살짝 겹치는 편이지만 소설들이 게이트가 열린 이후의 일을 다루기 시작하면 상황이 크게 달라지겠지.

그러나 당연히 그런 사정을 모르는 사랑이 눈을 동그랗게 뜬다.

“아니, 굳이 리벤지 세계관을 차용한다고요? 왜요?”

‘왜긴 왜야. 내 작가들이 거기에서 살아서 그렇지.’

그러나 그렇게 말할 수는 없었기에 적당한 대답을 고른다.

“그냥.”

그러나 막상 떠오르는 이유가 없다. 하긴 당연한 일이다. 굳이 이런 양산형 판타지 세계관을 쓸 이유가 어디 있겠는가?

결국 내가 내뱉을 만한 이유는 하나뿐이었다.

“그냥, 아르데니아 세계관을 좋아해서요.”

“…….”

순간 사랑의 표정이 기묘하게 변했다.

입꼬리가 위로 치솟고 볼이 푸들푸들 떨린다. 그녀는 아무런 말도 하지 않고 한참이나 나를 가만히 바라보았다.

"……?"

이 여자가 왜 이러나 할 때쯤 그녀의 뒤에 서 있던 칼튼이 고개를 숙인다.

"대표님."

사랑이 깜짝 놀란 듯 자세를 바로 한다.

"아, 음. 뭐 아무 문제없어요. 마음껏 쓰셔도 됩니다!"

"네? 원작자에게 허락을 받아야 하지 않을까요?"

"괜찮습니다. 제가 허락하면 돼요!"

아무래도 저작권이 회사에 있는 모양이다.

"그렇다면 감사합니다."

자리는 화기애애한 분위기로 끝났다.

먼저 사랑이 방을 나서자 그 뒤를 뒤따르던 칼튼이 나를 보며 말한다.

"저기 한재연 님."

"아, 네."

"혹시 알고 그런 말을 하신 겁니까?"

"……뭘요?"

영문을 알 수 없는 말에 의문을 표하는 순간 칼튼의 주위로 희미한 아우라가 스쳐 지나간다. 이제 영력을 감지할 수 있는 난 그게 뭔지 알 수 있었다.

'뭐야, 이놈. 진실신의 사제였네. 그런데 왜 지금?'

내가 의아해하거나 말거나 칼튼이 헛웃음을 흘린다.

"허. 이럴 수가. 허허. 이것 참. 이걸 천생연분이라고 해야 하나."

"칼튼 씨?"

내 말에 퍼뜩 정신을 차린 듯 꾸벅 고개를 숙인다.

"아무것도 아닙니다. 감사합니다."

"……?"

"허허. 이것 참. 허……."

너털웃음을 지으며 멀어진다.

"뭐야? 왜 저래?"

"한재연 씨 촬영 시작하실게요!"

"앗! 네!"

나를 부르는 목소리에 촬영장으로 뛰어나간다.

촬영장 한쪽에는 완전히 무장한 수백 대의 기가스가 자리하고 있다. 기급(器級)은 하나도 없고 최소 수급(獸級), 심지어 인급(人級)도 잔뜩 끼어 있는 무지막지한 군세!

꼭 촬영을 위해 모였다기보다 이곳, 배틀 스테이지를 관리하는 병력이다.

"자! 유도 장치 작동시키겠습니다. 무기 드시고! 대본대로 움직이되 최대한 실전적으로 움직여 주세요!"

CF 감독의 말에 따라 자세를 잡는다.

웅! 웅! 웅!

저 멀리부터 허공이 갈라지며 몬스터들이 나타난다.

"자, 스탠바이!"

내공이 온몸을 휘돌고 차크라가 열린다.

"큐!"

광고 촬영의 시작이었다.

* * *

"뵙게 되어 영광입니다! 예스입니다!"

초록색 머리칼의 소년이 넙죽 엎드린다. 황제기사 네버의 작가 네버. 제1회 제국 문학제에서 1등으로 달리고 있는 인재다.

'어리긴 어리군.'

16살이라고 들었는데 겉으로 보기에 그보다 3살은 어려 보인다. 어릴 적 잘 먹지 못하기라도 한 분위기다.

"그래. 네 작품은 잘 보고 있다. 아주 재미가 있더구나."

"가, 감사합니다!"

"어떻게 지내는 데 불편함은 없나?"

"너, 너무 잘 지내고 있습니다! 그냥 신나서 끄적일 뿐인데 이토록 대접해 주시다니 감개가 무량합니다!"

아무래도 많이 긴장한 모양이다. 하기야 이 어린 녀석이 황제와 독대를 하는데 긴장하지 않으면 오히려 이상한 일이리라.

"그래. 열심히 하는 모습 보기 좋다. 혹, 하고 싶은 말이 있나?"

“아, 그, 음…….”

예스는 잠시 버벅거리더니 말했다.

“연재 속도를…….”

쭈뼛거리는 예스의 모습에 생각한다.

‘아, 글쓰기가 힘들어졌나?’

공모전 접수는 5권 분량으로 받았지만, 그 이후의 분량들도 지속적으로 받고 있다. 분량이 길면 더 좋다고 공지해 두었으니 당연한 일.

하지만 연재가 너무 늦어지면 문제가 생기기에 거기에 기준을 잡았는데.

‘하긴 주 5회가 쉬운 일은 아니지.’

그렇게 생각할 때였다.

“주 5회는…… 너무 적습니다. 원고가 밀려서…….”

“……!?”

그야말로 깜짝 놀랄 소리. 어이가 없어 되묻는다.

“원고가 밀린다고……?”

“네, 폐하. 지금 12권 무지개 대륙을 끝냈사온데…….”

“하하. 하하하!”

절로 웃음이 나온다.

“이거 완전 복덩이가 아닌가! 많이 쓴 건 걱정할 필요가 없다! 원고를 바로바로 보내라!”

“하, 하지만 폐하. 더 많은 원고를 보내는 건 불공평한 일이 아닐까요? 공모전 점수가…….”

"빨리 쓰는 것도 능력이지!"

그야말로 어깨가 덩실덩실할 소식이다.

구매 수 100짜리 1,000짜리도 아니고 편당 7,000대 조회 수를 뽑아내는 녀석이 연재 속도를 늘리겠다니!

"하하하! 정말 기특하고 장하구나. 상으로 연금액을 늘리고 귀한 아이템도 내려 주겠다!"

예스를 시작으로 작가들과 일대일로 면담을 진행했다.

"재연 님! 아니 폐하! 뵙고 싶었어요!"

웨어울프 여성, 긴 다리와.

"충성! 은십자 기사단 엘룬 카사디안이 황제 폐하를 뵙습니다!"

"뵙게 되어 영광입니다. 폐하. 제갈옥분이라고 합니다."

신성제국과 명 제국의 귀족 출신 두 명도 만났다.

그러나 가장 중요한 사람은 역시 마지막 사람이다.

"뵙게 되어 영광입니다. 폐하. 로즈리안이라고 합니다."

새하얀 머리칼을 곱게 쓸어 넘긴 노인이 품위 있게 예를 표한다.

"그래. 당신이 느티나무로군…… 작품은 정말 흥미롭게 보았다."

"호호호. 그저 늙은이의 옛날이야기일 뿐이지요."

내가 그녀를 부른 이유는 새순이 돋을 때의 결말을 바꾸기 위해서이다. 다른 작가들을 부른 것은 고작 곁다리에 불과한 일.
사실 1분이면 전달을 끝낼 수 있는 용무였지만…….
"언제부터 글을 쓴 거지?"
"생각날 때마다 조금씩 메모를 했지요. 사람들이 했던 말. 행동. 제가 느낀 감정……."
이야기가 점점 길어진다.
"점점 그런 생각을 합니다. 제가 생각하는 인간의 통찰이라는 게 얼마나 얕디얕은 생각이었는지."
"하지만 어쩔 수 없지 않나? 그 얕디얕은 통찰 그대로 움직이는 야만인이 너무 많으니."
"호호호. 야만인이라니. 재미있는 관점이네요. 그래요. 가끔은 귀족들이 더 야만적으로 보일 때가 있을 정도입니다. 자신이 한 행동에 대한 아무런 반작용이 없을 때, 인간은 짐승이나 야만인이나 다름없는 존재가 되곤 하지요."
점점 더 길어진다. 30분. 1시간. 2시간.
우리는 많은 이야기를 나누었다.
"한때 그런 생각을 했습니다. 마귀가 있다고. 하지만 그 모든 것들은 결국 사람이었습니다. 기쁨도, 슬픔도, 노여움 기쁨도 사람으로 인한 것이었지요……."
노인. 로즈리안은 앞의 작가들과는 느낌이 달랐다. 지혜로웠고 말 한 마디 한 마디에 깊이가 있었다.
'아, 소설을 수정하라고 말해야 하는데.'

그러나 그 생각은, 입 밖으로 나오지 않는다.

그리고 그렇게 어느새 3시간.

"황제 폐하에 대한 온갖 찬양을 들었습니다. 경외와 공포에 관한 이야기도 들었지요. 하지만…… 정말 놀랄 정도로 인간적이신 분이군요. 그토록 강철 같은 의지를 가진 초인이면서 이런 늙은이의 말에도 공감해 주시다니……."

로즈리안은 온화하게 웃다가 깜짝 놀란 듯 자세를 바로 했다.

"이런, 이 늙은이가 귀하신 분의 시간을 너무 많이 빼앗았군요. 감사합니다. 정말 아름다운 시간이었습니다."

"……그래."

깊이 고개 숙여 인사하고 로즈리안이 집무실을 나선다.

나는 결국 말하지 못했다. 그녀의 글에 간섭하는 게 정말 옳은 일인지 확신할 수 없었기 때문이다.

"……."

나는 집무실에 앉아 한참을 생각했다. 그리고 말했다.

"로그아웃."

지구로 이동한다. 그리고 디스플레이에 떠 있는 원고를 다시 읽어 보았다.

요번 편, 결국 게이트가 열리고 느티나무를 고통스럽게 했던 많은 것들이 거기에 휩쓸려 사라져 버린다. 그 난데없는 재앙에 그녀는 기뻐하지도 슬퍼하지도 못한다.

문자 그대로 실화 기반의 자연스러운 흐름이었으나.

'안 봐도 뻔하다.'

댓글란이 불타오를 것이다.

로즈리안이 담담히 서술한 세상의 모습은 사람들에게 어그로로 보일 것이다.

어떤 의도를 가지고 급하게 방향을 튼 것처럼 보이기도 하겠지.

하지만 그럼에도…… 그것을 수정하고 싶지 않았다.

"하. 나도 모르겠다."

확인키를 누른다. 그리고 그것으로.

게이트가.

열린다.

↳쇄골나감 : ?

↳차영춘 : 아니, 뭐? 아니? 뭐라고?

↳무적김초코 : 아니 여기서 게이트가?

↳이숙경 : 아니 조합장이 몬스터한테 죽는다구요?

↳해쉬태그 : 내가 조합장 죽이길 바라긴 했지만 이건 좀……

↳버둥버둥 : 작가님 갑자기 뭐 하는 거예요?

삽시간에 댓글이 늘어나기 시작한다. 너무나 당연하게도, 모두가 당혹스러워 하고 있다.

↳ㄲㄲ2020 : 오. 갑자기 흥미진진해지는데?
↳별바다 : ↑님 미침?

물론 간혹 옹호하는 댓글이 없는 것은 아니었다.

↳테라리아 : 그런데 게이트 뭐 열릴 수도 있는 거 아님? 당장 지금 벌어지고 있는 몬스터 사태도 굳이 말하면 게이트랑 비슷한데 왜 이렇게 유난임?

그러나 반응은 싸늘하다.

↳버둥버둥 : 현실에서 있을 수 있으면 소설에서 벌어져도 됩니까? 근대에는 교통사고로 사람 많이 죽었다던데 근대 소설 주인공이 뜬금없이 차에 치어 죽으면 님은 납득하겠어요?
↳별바다 : 떨어지는 야자수 맞고 죽는 거랑 똑같죠. 매년 많이들 죽었다는데 우연히 지나가던 최종보스가 맞을 수도 있는 거 아닌가요? 아, 이건 진짜 아닙니다. 무슨 복선이 있던 것도 아니잖아요……. 지금이라도 수정하셔야 합니다. 작가님! 진짜 말이 안 되는 전개에요!

모두가 납득을 못하고 있었지만, 사실 말이 되는 전개다. 단 하나의 전제만 깔면 상황이 달라진다.

이게 실화 바탕이라는 것.

실화 바탕 소설에서 일의 개연성, 핍진성 따위는 그리 중요한 문제가 아니다. 실제로 상황이 벌어졌는데 말이 되고 안 되고가 어디 있겠는가?

'또한 로즈리안은 그 상황을 정교하게 이용했다.'

새순이 돋을 때는 아르데니아의 시간에 대해 계속해서 묘사해 왔다. 국제 정세. 대륙에 벌어지는 사건들까지.

왜 그랬는가? 당장 주인공과 관계도 없는 일들인데.

'시간대를 독자들에게 명확하게 전달하기 위해서이지.'

만약에 독자가 지구인이 아니라 아르데니아 사람이었다면 소설을 읽는 내내 게이트에 대해 생각했을 것이다.

'왜냐하면, 그들은 게이트가 어느 해에 열렸는지 알고 있으니까.'

설사 미처 깨닫지 못했더라도 작품 속 캐릭터들의 지나가는 말, 대륙 상황 묘사로 인해 계속해서 상기될 수밖에 없다. 자연스레 독자들은 생각하게 된다.

사람들 사이의 갈등이 생겼을 때.

게이트가 열려서 해결되나?

여러 가지 문제가 터져 나올 때.

몬스터 때문에 다 쓸려 나가나?

새로운 인물과 상황이 전개되었을 때.

슬슬 때가 된 거 같은데? 지금인가?

그러나 그럼에도 터지지 않는다. 그리고 마침내 독자들

이 '아, 내년인가?'라고 생각하던 순간.

바로 그때 게이트가 터진다.

솔직히 소름이 끼칠 정도다. 이게 정말 실화 기반일지 의심이 들 정도.

모든 갈등, 관계, 인물, 세력 그 모든 것이 게이트라는 대형 이벤트 한방에 박살 나는 장면은 파괴적이기까지 하다.

"하지만…… 지구의 독자들에게는 그렇게 보이지 않겠지."

그러나 그걸 굳이 나서서 변명할 수도 없는 일이었기에 그냥 리플 창을 꺼 버린 후 자리에서 일어났다.

띵!

엘리베이터를 타고 룸 타워를 나선다. 사람들이 알아보는 상황을 피하려고 후드를 깊이 눌러 쓴 채다.

쏴아아아!

비가 쏟아지고 있다. 나는 주머니에 손을 넣은 채 도로로 나왔다.

쩌저적.

머리 위에 생겨난 빙막이 빗방울을 빗겨 낸다. 미친 듯 비가 쏟아지지만, 도로에는 사람이 가득하다.

'하기야 아르데니아도 아니고 비 때문에 거리로 못 나올 사람은 없겠지.'

비가 쏟아지지만 사람들은 평소와 같이 나들이를 가고 광화문 광장에 누워서 쉬고 있다. 자신의 영능을, 마법

도구를, 스마트 펫을 이용해 날씨와 상관없이 휴식을 취하고 있다.

그런데 광화문 광장 한편에 사람들이 잔뜩 모여 있다.

"……뭐지?"

호기심에 다가가자 커다란 홀로그램 화면으로 방송이 송출되는 모습이 보인다.

그리고 그것은 내게 매우 익숙한 광경이었다.

*

[뒤져 봐라.]

나직한 목소리와 함께 휘둘러진 검이 호신강기를 부수고 히페리온의 머리를 노린다.

그러나 검은 녀석의 머리가 아닌 어깨에 닿았고, 히페리온의 마검이 습격자를 노린다.

와장창!

환상처럼 떠오른 방어막이 헛되게 부서지고 마검이 검과 함께 오른손을 잘라 낸다. 그리고 이어 심장을 찌르려는 순간!

팟!

잘려 나간 모습이 거짓말이었다는 듯 멀쩡한 팔로 검을 휘둘러 마검을 쳐 낸다. 달려들던 히페리온이 오히려 밀려났다.

[자, 정지! 보셨나요?]

[아뇨, 잘못 봤습니다. 엄청난 속도군요. 슬로우를 이렇게나 걸었는데도…… 이게 다 0.01초 내에 벌어진 일이란 말이죠?]

[그야말로 초월자 수준의 전투라 할 만하지요. 이 히페리온이라는 초월급 몬스터도 몬스터지만 게임 마스터님의 사도인 한재연 씨야말로 진짜 놀랍습니다. 이 잠깐 사이에 보인 권능이 대체 몇 개인지…… 초월자는 분명 아닌데도 초월자와 대등할 정도라니 믿을 수가 없을 정도입니다.]

커다란 홀로그램에서는 두 사내가 나와서 나와 히페리온의 전투를 보며 떠들어 대고 있다.

'아, 서바이벌 아일랜드 결국 방송했나 보구먼.'

하기야 촬영한 게 언제인데. 오히려 많이 늦었다고 할 수 있으리라.

[초월자를 둘이나 죽였다는데도 초월자가 아니라는 거군요.]

[하지만 거의 준한다고 할 수 있지요. 이것 보세요. 정면으로 충돌하니 한재연 씨는 제자리에 있는데 히페리온이 오히려 네 걸음 밀렸지요? 사실 이게 말이 안 됩니다. 초월자면 걸어 다니는 성채라고 해도 과언이 아닌 존재

거든요. 초월자를 이렇게 밀어낼 정도라면, 그에게 자세 제어에 대한 권능 정도는 있다고 봐야 합니다.]

[혹은 힘이 어마어마하게 강해서 그렇다고 볼 수도 있지 않을까요?]

[하하하. 말 같지도 않은 소리 하지 말라고 하고 싶은데 확언을 못하겠군요. 게임신의 사도라면…… 스텟 포인트 같은 걸 찍을지도 모르니까요. 어쩌면 자유롭게 매 순간 스텟을 필요한 대로 찍는 뭐 그런 능력이 있을지도 모릅니다. 보세요. 다른 것도 아니고 검강. 그것도 마기가 깃든 검강에 잘려 나간 팔이 회복되는 이 광경은…….]

'매 순간 스텟을 찍는다니. 초기화 포션이라고 해 봐야 90개가 안 되는데. 뭐 그래도 완전히 다 없는 이야기는 아니군. 랜드 브레이커나 근력에 대해서 어느 정도 짐작하고 있으니.'

홀로그램은 고위 내공 수련자와 마법사가 꽤 날카로운 식견으로 전투를 분석하는 모습을 보여 주고 있다. 그 앞에 앉은 사람들은 연신 탄성을 내뱉었다.

"와, 맙소사. 미쳤다, 진짜."

"아니, 한재연이라는 저 사람 스물넷이라고 안 그랬어? 아니 무슨 그 나이에 초월자랑 다이다이 뜨냐?"

"마법소녀님이 도와줘서 가능한 거거든?"

"도와주기야 당연히 도와주지만 뭐 얼마나 도와준다

고. 저것 좀 봐라. 검강을 대체 몇 번 얻어맞는 거냐? 검강은 대형 병원에서밖에 치료 못할 정도로 지독한 공격이라고."

"야, 근데 저 나이에 초월자를 죽일 정도면 한 서른이면 초월자 확정 아니냐?"

나는 사람들의 수군거림을 듣다가 몸을 돌려 룸 타워로 돌아왔다.

그러며 생각했다.

'모든 게 변해 가는군.'

하기야 당연한 일이다. 나는 더 이상 야만적이고 난폭한, 시대의 낙오자가 아니다.

지금의 나는, 준초월자급 전투 능력과 최상급 신이라는 배경. 수백억 대의 돈을 어렵지 않게 벌어들이는 경제력을 가진 존재다.

하지만.

"모자라다."

그렇다. 아직 끝이 아니다. 나는 더 위로 갈 것이다. 더욱더 강하고, 중요하고, 위대한 존재가 될 것이다.

"야옹!"

"아, 벌써?"

나는 얼른 원룸으로 돌아와 인벤토리를 비운 후 다시 자동 사냥을 돌렸다.

길원들이 [신화의 탑]이나 [월드 던전]을 가자고 꼬드

기지만 바빠서 그럴 틈이 없다. 물론 그런 최종 콘텐츠를 돌리는 게 자동 사냥보다 훨씬 벌이가 괜찮겠지만…… 리벤지에는 이런 말이 있다.

출근하는 것까지가 플레이다.

회사에서도 게임을 한다는 게 아니라 돈을 버는 것도 플레이의 일환이라는 말이다. 실제로 게임 속에서 12시간 동안 노가다를 뛰는 것보다 현실에서 12시간 동안 일해서 번 돈으로 과금을 하는 게 훨씬 캐릭터 성장에 도움이 된다.

"일단은 공모전에 집중해야지. 로그인."

다시 필사를 이어 나간다.

"로그아웃."

계속해서 써 나간다.

"로그인."

"로그아웃."

오룡 공모전이 53일이 지났다. 이제 공모전이 끝나기까지 고작 일주일 남은 상황.

오룡넷에서 공지 사항이 올라왔다.

[초록용용이입니다! 깜짝 놀랄 정도로 뜨거운 성원에 깜짝 놀라고 있는 요즘인데요! 많은 분이 벌써 한참 전에 떨어진 정산 금액에 대해 문의해 주셔서 공지드립니다!

이벤트 정산 금액을 200억으로 확장합니다!

걱정 노노하시고 최후의 최후까지 달려 주세요!]

“아, 2배 인세는 없고 포인트만 있었는데 다행이네.”

나는 공지를 끄고 다시 필사를 이어 나간다. 순위가 떨어지는 300종의 작품을 털어 낸 상태지만 신작 역시 상당수 들어와 총 250종의 작품을 연재하고 있다.

한편 새순이 돋을 때의 댓글란은 연일 불타오르고 있다.

↳별바다 : 이 잡것들아 니들이 댓글로 지랄하니 작가님이 삐딱선 탄 거 아니냐!?

↳망작에만댓글 : 응 니 엄마 ^^

↳별바다 : 아니 패드립?

↳망작에만댓글 : 아뇨 만수무강하시냐구요 ^^

↳별바다 : ……

매 편마다 댓글란이 터져 나간다. 그뿐이 아니다.

각종 커뮤니티에도 속칭 [게이트 사태]가 퍼져 나갔다.

[어떤 공모전의 문학 작품.]

〈이미지〉

〈이미지〉

〈세 줄 요약.〉

1. 오룡 공모전에 비범한 내공의 작품이 올라옴. 마법 무공 거의 안 나오는 순문에 가까운 작품.

2. 후빨러들 대량 생산. 안티팬도 대량 생산되어서 댓글란이 맨날 투기장.

3. 작가 멘탈 나가서 순문 작품에 게이트 열어 버림 엌ㅋㅋㅋㅋㅋ〈--NEW!

사건은 점점 커져만 간다. 나는 그러거나 말거나 필사를 이어 나갔다.

내 칭찬에 기운을 낸 예스는 황제기사 네버를 하루에 5편씩 써서 원고를 넘겼다. 밀린 분량까지 연재해야 했기에 노벨 아레나에서는 매일 15편에서 30편까지 연재되었다.

그야말로 폭풍연참!

그 결과 황제기사 네버는 노벨 아레나의 5위에 올라서는 기염을 토했다. 이 흐름대로라면 최종적으로 3위 안에도 들 수 있을 것 같았다.

시간은 계속 지난다.

어느새 공모전 시작 58일째. 내가 조절하는 대로 연재작품들이 다들 완결을 향해 달려갔고 그 파급력은 점점 커져만 갔다.

그리고 마침내 그 일이 벌어졌다.

8클래스 마법사이자 문학계의 거두인 푸른 촛불 학파

의 마스터. [별 헤는 밤]이 SNS에 새순이 돋을 때에 관한 논평을 남긴 것이다.

[새순이 돋을 때에 관하여.]

지인의 열렬한 추천을 받고 읽게 되었다. 정말 마지못한 시작이었지만, 일단 시작하니 멈출 수 없었다.

훌륭한 글이다.

현대인들의 생각과 철학, 상식을 쓰고 배경만 중세로 해 놓는 수준 이하의 글과는 차원이 다른 판타지.

세심한 문체와 살아 움직이는 인물. 광대한 서사와 방향을 잃지 않고 독자를 끌어가는 주제 의식은 이게 정말 신인인지 의심하게 만들 정도이다.

대단한 미녀도 아니고, 엄청난 초능을 가지지 않은 느티나무를 왜 독자들은 사랑할 수밖에 없는가? 그것은 중세의 인물인 그녀가 보이는 지혜가 현대에도 통용되는 인간에 대한 통찰에 근거하기 때문이다.

매번 읽을 때마다 새로운 내용이 읽히고, 보이지 않던 관계가 깨달아지는 인물들의 대사는 새순이 돋을 때를 그야말로 명작의 반열에 올렸다 해도 과언이 아니겠지.

그리고 그런 면에서.

게이트는.

정말로.

아쉽다.

큰 사건이 필요했다는 건 이해하지만 이게 꼭 게이트일 필요가 있었을까? 귀족들의 반란이나 전쟁 정도로 했으면 얼마나 좋았을까?

이런 훌륭한 내공을 가지고 있음에도 독자들에게 휘둘린 작가가 안타까울 뿐이다.

파급력은 엄청났다.

[새순이 돋을 때 (8위) NEW!]

마침내 새순이 돋을 때가 베스트 10에 들어왔다. 공모전에 어울리지 않는 주제와 문체를 생각해 보면 기적 같은 일. 그러나 좋기만 한 것은 아니다.

[쪽지함 : 9999개(+)]

다른 연락처를 공개하지 않았더니 쪽지가 끝도 없이 온다. 심지어 개중 몇은 5천 자가 넘는 분량의 비평이었다.

맘 같아서는 잡아다가 아르데니아로 던져 버리고 싶었지만, 그럴 힘이 없으니 무시하고 연재한다.

모두가 작품이 무너지고 있다고, 초보 작가가 독자에게 휘둘리고 있다고 떠들었지만 역시나 신경 쓰지 않는다.

그렇다. 신경 쓰지 않는다.

'휘둘리긴 뭘 휘둘려? 로즈리안은 리플을 보지도 못하는데.'

작품이 무너질 걱정도 하지 않는다. 그들은 로즈리안이 리플에 휘둘려 무리수를 뒀다고 말하지만 그렇지 않다. 그녀는 처음부터 정해진 스토리대로 전개해 나가고 있을 뿐이니까.

그렇게 공모전이 시작하고 60일. 마침내 오룡넷 공모전이 끝나고.

나는 모든 작품을 완결 처리했다.

[안녕하세요. 작가님!^^ 도서출판 초록용용이입니다.]
정산서를 두 개로 분리해서 보내 드립니다!
기존 이북 정산서.
공모전 정산서.
이벤트 기간 동안 정말 흥미로웠습니다.
앞으로도 좋은 글 부탁드립니다!

정산액 : 2,286,000원

한동안 늘어나기만 하던 정산액은 다시 쪼그라들었다. 하기야 요새는 거의 손 놔 버린 상태니 당연한 일.

그러나 상관없다. 진짜는 따로 있으니까.

공모전 정산액 : 1,922,114,000원

심지어 그게 끝이 아니다.
작품이 완결 처리되자…….
“와.”
후원이 들어왔다.

(열일하는 과금 기사 8권에서 계속)

환상이 숨쉬는 공간 파피루스 blog.naver.com/gnpd17
아기가 너무 강함
사는게죄 판타지 장편소설
사상 최강의 아이가 울부짖었다
“응애-!”
『아기가 너무 강함』
최악의 던전을 봉인했으나 나갈 수는 없었다
영원히 탈출할 수 없는 감옥 속에서 영웅들은 뜻을 모았다
모두의 아기를 만들자!
아이가 커서 각성하면 봉인을 풀 수 있을 것이다!
그렇게 전 세계 영웅들의 자식이자 제자로 태어난 아이, 선
선이는 너무나도 예쁘고, 사랑스럽고, 순수하고…….
비범했다!
이제부터, 압도적인 재능으로
뒤틀린 세계를 구원해 낼 선이의 성장이 시작된다!